LES MOTS

JEAN-PAUL SARTRE

Les Mots

GALLIMARD

Il a été tiré de l'édition originale de cet ouvrage quinze exemplaires sur Japon Impérial numérotés de 1 à 15, quarante-cinq exemplaires sur vélin de Hollande van Gelder numérotés de 16 à 60 et cent vingt-cinq exemplaires sur vélin pur fil Lafuma-Navarre numérotés de 61 à 185.

A Madame Z.

I

Lire

En Alsace, aux environs de 1850, un instituteur accablé d'enfants consentit à se faire épicier. Ce défroqué voulut une compensation : puisqu'il renonçait à former les esprits, un de ses fils formerait les âmes; il y aurait un pasteur dans la famille, ce serait Charles. Charles se déroba, préféra courir les routes sur la trace d'une écuyère. On retourna son portrait contre le mur et fit défense de prononcer son nom. A qui le tour? Auguste se hâta d'imiter le sacrifice paternel : il entra dans le négoce et s'en trouva bien. Restait Louis, qui n'avait pas de prédisposition marquée : le père s'empara de ce garçon tranquille et le fit pasteur en un tournemain. Plus tard Louis poussa l'obéissance jusqu'à engendrer à son tour un pasteur, Albert Schweitzer, dont on sait la carrière. Cependant, Charles n'avait pas retrouvé son écuyère; le beau geste du père l'avait marqué : il garda toute sa vie le goût du sublime et mit son zèle à fabriquer de grandes circonstances avec de petits événements. Il ne songeait pas, comme on voit, à éluder la vocation familiale : il souhaitait se vouer à une

forme atténuée de spiritualité, à un sacerdoce qui
lui permît les écuyères. Le professorat fit l'affaire :
Charles choisit d'enseigner l'allemand. Il soutint une
thèse sur Hans Sachs, opta pour la méthode directe
dont il se dit plus tard l'inventeur, publia, avec la
collaboration de M. Simonnot, un *Deutsches
Lesebuch* estimé, fit une carrière rapide : Mâcon,
Lyon, Paris. A Paris, pour la distribution des prix,
il prononça un discours qui eut les honneurs d'un
tirage à part : « Monsieur le Ministre, Mesdames,
Messieurs, mes chers enfants, vous ne devineriez
jamais de quoi je vais vous parler aujourd'hui! De
la musique! » Il excellait dans les vers de circonstance. Il avait coutume de dire aux réunions de
famille : « Louis est le plus pieux, Auguste le plus
riche; moi je suis le plus intelligent. » Les frères
riaient, les belles-sœurs pinçaient les lèvres. A
Mâcon, Charles Schweitzer avait épousé Louise
Guillemin, fille d'un avoué catholique. Elle détesta
son voyage de noces : il l'avait enlevée avant la fin
du repas et jetée dans un train. A soixante-dix ans,
Louise parlait encore de la salade de poireaux qu'on
leur avait servie dans un buffet de gare : « Il prenait
tout le blanc et me laissait le vert. » Ils passèrent
quinze jours en Alsace sans quitter la table; les
frères se racontaient en patois des histoires scato-
logiques; de temps en temps, le pasteur se tournait
vers Louise et les lui traduisait, par charité chré-
tienne. Elle ne tarda pas à se faire délivrer des
certificats de complaisance qui la dispensèrent du
commerce conjugal et lui donnèrent le droit de
faire chambre à part; elle parlait de ses migraines,
prit l'habitude de s'aliter, se mit à détester le bruit,

la passion, les enthousiasmes, toute la grosse vie fruste et théâtrale des Schweitzer. Cette femme vive et malicieuse mais froide pensait droit et mal, parce que son mari pensait bien et de travers; parce qu'il était menteur et crédule, elle doutait de tout : « Ils prétendent que la terre tourne; qu'est-ce qu'ils en savent? » Entourée de vertueux comédiens, elle avait pris en haine la comédie et la vertu. Cette réaliste si fine, égarée dans une famille de spiritualistes grossiers se fit voltairienne par défi sans avoir lu Voltaire. Mignonne et replète, cynique, enjouée, elle devint la négation pure; d'un haussement de sourcils, d'un imperceptible sourire, elle réduisait en poudre toutes les grandes attitudes, pour elle-même et sans que personne s'en aperçût. Son orgueil négatif et son égoïsme de refus la dévorèrent. Elle ne voyait personne, ayant trop de fierté pour briguer la première place, trop de vanité pour se contenter de la seconde. « Sachez, disait-elle, vous laisser désirer. » On la désira beaucoup, puis de moins en moins, et, faute de la voir, on finit par l'oublier. Elle ne quitta plus guère son fauteuil ou son lit. Naturalistes et puritains — cette combinaison de vertus est moins rare qu'on ne pense — les Schweitzer aimaient les mots crus qui, tout en rabaissant très chrétiennement le corps, manifestaient leur large consentement aux fonctions naturelles; Louise aimait les mots couverts. Elle lisait beaucoup de romans lestes dont elle appréciait moins l'intrigue que les voiles transparents qui l'enveloppaient : « C'est osé, c'est bien écrit, disait-elle d'un air délicat. Glissez, mortels, n'appuyez pas! » Cette femme de neige pensa mourir

de rire en lisant *La Fille de Feu* d'Adolphe Belot.
Elle se plaisait à raconter des histoires de nuits
de noces qui finissaient toujours mal : tantôt le
mari, dans sa hâte brutale, rompait le cou de sa
femme contre le bois du lit et tantôt, c'était la
jeune épousée qu'on retrouvait, au matin, réfugiée
sur l'armoire, nue et folle. Louise vivait dans le
demi-jour; Charles entrait chez elle, repoussait les
persiennes, allumait toutes les lampes, elle gémis-
sait en portant la main à ses yeux : « Charles! tu
m'éblouis! » Mais ses résistances ne dépassaient pas
les limites d'une opposition constitutionnelle :
Charles lui inspirait de la crainte, un prodigieux
agacement, parfois aussi de l'amitié, pourvu qu'il
ne la touchât pas. Elle lui cédait sur tout dès qu'il
se mettait à crier. Il lui fit quatre enfants par surprise : une fille qui mourut en bas âge, deux garçons, une autre fille. Par indifférence ou par respect, il avait permis qu'on les élevât dans la
religion catholique. Incroyante, Louise les fit
croyants par dégoût du protestantisme. Les deux
garçons prirent le parti de leur mère; elle les éloigna doucement de ce père volumineux; Charles
ne s'en aperçut même pas. L'aîné, Georges, entra
à Polytechnique; le second, Emile, devint professeur d'allemand. Il m'intrigue : je sais qu'il est
resté célibataire mais qu'il imitait son père en tout,
bien qu'il ne l'aimât pas. Père et fils finirent par
se brouiller; il y eut des réconciliations mémo-
rables. Emile cachait sa vie; il adorait sa mère et,
jusqu'à la fin, il garda l'habitude de lui faire, sans
prévenir, des visites clandestines; il la couvrait de
baisers et de caresses puis se mettait à parler du

père, d'abord ironiquement puis avec rage et la quittait en claquant la porte. Elle l'aimait, je crois, mais il lui faisait peur : ces deux hommes rudes et difficiles la fatiguaient et elle leur préférait Georges qui n'était jamais là. Emile mourut en 1927, fou de solitude : sous son oreiller, on trouva un revolver; cent paires de chaussettes trouées, vingt paires de souliers éculés dans ses malles.

Anne-Marie, la fille cadette, passa son enfance sur une chaise. On lui apprit à s'ennuyer, à se tenir droite, à coudre. Elle avait des dons : on crut distingué de les laisser en friche; de l'éclat : on prit soin de le lui cacher. Ces bourgeois modestes et fiers jugeaient la beauté au-dessus de leurs moyens ou au-dessous de leur condition; ils la permettaient aux marquises et aux putains. Louise avait l'orgueil le plus aride : de peur d'être dupe elle niait chez ses enfants, chez son mari, chez elle-même les qualités les plus évidentes; Charles ne savait pas reconnaître la beauté chez les autres : il la confondait avec la santé : depuis la maladie de sa femme, il se consolait avec de fortes idéalistes, moustachues et colorées, qui se portaient bien. Cinquante ans plus tard, en feuilletant un album de famille, Anne-Marie s'aperçut qu'elle avait été belle.

A peu près vers le même temps que Charles Schweitzer rencontrait Louise Guillemin, un médecin de campagne épousa la fille d'un riche propriétaire périgourdin et s'installa avec elle dans la triste grand-rue de Thiviers, en face du pharmacien. Au lendemain du mariage, on découvrit que le beau-père n'avait pas le sou. Outré, le docteur

Sartre resta quarante ans sans adresser la parole à
sa femme; à table, il s'exprimait par signes, elle
finit par l'appeler « mon pensionnaire ». Il parta-
geait son lit, pourtant, et, de temps à autre, sans
un mot, l'engrossait : elle lui donna deux fils et
une fille; ces enfants du silence s'appelèrent Jean-
Baptiste, Joseph et Hélène. Hélène épousa sur le
tard un officier de cavalerie qui devint fou; Joseph
fit son service dans les zouaves et se retira de
bonne heure chez ses parents. Il n'avait pas de
métier : pris entre le mutisme de l'un et les criail-
leries de l'autre, il devint bègue et passa sa vie à
se battre contre les mots. Jean-Baptiste voulut préparer Navale, pour voir la mer. En 1904, à Cher-
bourg, officier de marine et déjà rongé par les
fièvres de Cochinchine, il fit la connaissance
d'Anne-Marie Schweitzer, s'empara de cette grande
fille délaissée, l'épousa, lui fit un enfant au galop,
moi, et tenta de se réfugier dans la mort.

Mourir n'est pas facile : la fièvre intestinale montait sans hâte, il y eut des rémissions. Anne-Marie
le soignait avec dévouement, mais sans pousser
l'indécence jusqu'à l'aimer. Louise l'avait prévenue
contre la vie conjugale : après des noces de sang,
c'était une suite infinie de sacrifices, coupée de tri-
vialités nocturnes. A l'exemple de sa mère, ma mère
préféra le devoir au plaisir. Elle n'avait pas beaucoup connu mon père, ni avant ni après le mariage,
et devait parfois se demander pourquoi cet étranger
avait choisi de mourir entre ses bras. On le trans-
porta dans une métairie à quelques lieues de Thiviers; son père venait le visiter chaque jour en
carriole. Les veilles et les soucis épuisèrent Anne-

Marie, son lait tarit, on me mit en nourrice non loin
de là et je m'appliquai, moi aussi, à mourir : d'en-
térite et peut-être de ressentiment. A vingt ans,
sans expérience ni conseils, ma mère se déchirait
entre deux moribonds inconnus; son mariage de
raison trouvait sa vérité dans la maladie et le deuil.
Moi, je profitais de la situation : à l'époque, les
mères nourrissaient elles-mêmes et longtemps; sans
la chance de cette double agonie, j'eusse été exposé
aux difficultés d'un sevrage tardif. Malade, sevré
par force à neuf mois, la fièvre et l'abrutissement
m'empêchèrent de sentir le dernier coup de ciseaux
qui tranche les liens de la mère et de l'enfant; je
plongeai dans un monde confus, peuplé d'halluci-
nations simples et de frustes idoles. A la mort de
mon père, Anne-Marie et moi, nous nous réveil-
lâmes d'un cauchemar commun; je guéris. Mais
nous étions victimes d'un malentendu : elle retrouvait avec amour un fils qu'elle n'avait jamais quitté
vraiment; je reprenais connaissance sur les genoux
d'une étrangère.

Sans argent ni métier, Anne-Marie décida de
retourner vivre chez ses parents. Mais l'insolent
trépas de mon père avait désobligé les Schweitzer :
il ressemblait trop à une répudiation. Pour n'avoir
su ni le prévoir ni le prévenir, ma mère fut réputée
coupable : elle avait pris, à l'étourdie, un mari
qui n'avait pas fait d'usage. Pour la longue Ariane
qui revint à Meudon, avec un enfant dans les bras,
tout le monde fut parfait : mon grand-père avait
demandé sa retraite, il reprit du service sans un
mot de reproche; ma grand-mère, elle-même, eut
le triomphe discret. Mais Anne-Marie, glacée de

reconnaissance, devinait le blâme sous les bons
procédés : les familles, bien sûr, préfèrent les
veuves aux filles mères, mais c'est de justesse. Pour
obtenir son pardon, elle se dépensa sans compter,
tint la maison de ses parents, à Meudon puis à
Paris, se fit gouvernante, infirmière, majordome,
dame de compagnie, servante, sans pouvoir désar-
mer l'agacement muet de sa mère. Louise trouvait
fastidieux de faire le menu tous les matins et les
comptes tous les soirs mais elle supportait mal
qu'on les fît à sa place; elle se laissait décharger
de ses obligations en s'irritant de perdre ses préro-
gatives. Cette femme vieillissante et cynique n'avait
qu'une illusion : elle se croyait indispensable.
L'illusion s'évanouit : Louise se mit à jalouser sa
fille. Pauvre Anne-Marie : passive, on l'eût accusée
d'être une charge; active, on la soupçonnait de vouloir régenter la maison. Pour éviter le premier
écueil, elle eut besoin de tout son courage, pour
éviter le second, de toute son humilité. Il ne
fallut pas longtemps pour que la jeune veuve
redevînt mineure : une vierge avec tache. On
ne lui refusait pas l'argent de poche : on oubliait
de lui en donner; elle usa sa garde-robe jusqu'à
la trame sans que mon grand-père s'avisât de
la renouveler. A peine tolérait-on qu'elle sortît
seule. Lorsque ses anciennes amies, mariées pour
la plupart, l'invitaient à dîner, il fallait solliciter la permission longtemps à l'avance et pro-
mettre qu'on la ramènerait avant dix heures. Au
milieu du repas, le maître de maison se levait de
table pour la reconduire en voiture. Pendant ce
temps, en chemise de nuit, mon grand-père arpen-

tait sa chambre à coucher, montre en main. Sur
le dernier coup de dix heures, il tonnait. Les invi-
tations se firent plus rares et ma mère se dégoûta
de plaisirs si coûteux.

La mort de Jean-Baptiste fut la grande affaire de
ma vie : elle rendit ma mère à ses chaînes et me
donna la liberté.

Il n'y a pas de bon père, c'est la règle; qu'on
n'en tienne pas grief aux hommes mais au lien de
paternité qui est pourri. Faire des enfants, rien de
mieux; en *avoir*, quelle iniquité! Eût-il vécu, mon
père se fût couché sur moi de tout son long et
m'eût écrasé. Par chance, il est mort en bas âge;
au milieu des Enées qui portent sur le dos leurs
Anchises, je passe d'une rive à l'autre, seul et détestant ces géniteurs invisibles à cheval sur leurs fils
pour toute la vie; j'ai laissé derrière moi un jeune
mort qui n'eut pas le temps d'être mon père et qui
pourrait être, aujourd'hui, mon fils. Fut-ce un mal
ou un bien? Je ne sais; mais je souscris volontiers
au verdict d'un éminent psychanalyste : je n'ai pas
de Sur-moi.

Ce n'est pas tout de mourir : il faut mourir à
temps. Plus tard, je me fusse senti coupable; un
orphelin conscient se donne tort : offusqués par
sa vue, ses parents se sont retirés dans leurs appartements du ciel. Moi, j'étais ravi : ma triste condition imposait le respect, fondait mon importance;
je comptais mon deuil au nombre de mes vertus.
Mon père avait eu la galanterie de mourir à ses

torts : ma grand-mère répétait qu'il s'était dérobé
à ses devoirs; mon grand-père, justement fier de la
longévité Schweitzer, n'admettait pas qu'on disparût à trente ans; à la lumière de ce décès suspect,
il en vint à douter que son gendre eût jamais existé
et, pour finir, il l'oublia. Je n'eus même pas à l'oublier : en filant à l'anglaise, Jean-Baptiste m'avait
refusé le plaisir de faire sa connaissance. Aujour-
d'hui encore, je m'étonne du peu que je sais sur
lui. Il a aimé, pourtant, il a voulu vivre, il s'est vu
mourir; cela suffit pour faire tout un homme. Mais
de cet homme-là, personne, dans ma famille, n'a
su me rendre curieux. Pendant plusieurs années,
j'ai pu voir, au-dessus de mon lit, le portrait d'un
petit officier aux yeux candides, au crâne rond et
dégarni, avec de fortes moustaches : quand ma mère
s'est remariée, le portrait a disparu. Plus tard, j'ai
hérité de livres qui lui avaient appartenu : un
ouvrage de Le Dantec sur l'avenir de la science,
un autre de Weber, intitulé : *Vers le positivisme
par l'idéalisme absolu*. Il avait de mauvaises lectures comme tous ses contemporains. Dans les
marges, j'ai découvert des griffonnages indéchiffrables, signes morts d'une petite illumination qui
fut vivante et dansante aux environs de ma naissance. J'ai vendu les livres : ce défunt me concer-
nait si peu. Je le connais par ouï-dire, comme le
Masque de Fer ou le Chevalier d'Eon et ce que je
sais de lui ne se rapporte jamais à moi : s'il m'a
aimé, s'il m'a pris dans ses bras, s'il a tourné vers
son fils ses yeux clairs, aujourd'hui mangés, personne n'en a gardé mémoire : ce sont des peines
d'amour perdues. Ce père n'est pas même une

ombre, pas même un regard : nous avons pesé
quelque temps, lui et moi, sur la même terre, voilà
tout. Plutôt que le fils d'un mort, on m'a fait
entendre que j'étais l'enfant du miracle. De là
vient, sans aucun doute, mon incroyable légèreté.
Je ne suis pas un chef, ni n'aspire à le devenir.
Commander, obéir, c'est tout un. Le plus autori-
taire commande au nom d'un autre, d'un parasite
sacré — son père —, transmet les abstraites violences qu'il subit. De ma vie je n'ai donné d'ordre
sans rire, sans faire rire; c'est que je ne suis pas
rongé par le chancre du pouvoir : on ne m'a pas
appris l'obéissance.

A qui obéirais-je? On me montre une jeune
géante, on me dit que c'est ma mère. De moi-même,
je la prendrais plutôt pour une sœur aînée. Cette
vierge en résidence surveillée, soumise à tous, je
vois bien qu'elle est là pour me servir. Je l'aime :
mais comment la respecterais-je, si personne ne la
respecte? Il y a trois chambres dans notre maison :
celle de mon grand-père, celle de ma grand-mère,
celle des « enfants ». Les « enfants », c'est nous :
pareillement mineurs et pareillement entretenus.
Mais tous les égards sont pour moi. Dans *ma*
chambre, on a mis un lit de jeune fille. La jeune
fille dort seule et s'éveille chastement; je dors
encore quand elle court prendre son « tub » à la
salle de bains; elle revient entièrement vêtue :
comment serais-je né d'elle? Elle me raconte ses
malheurs et je l'écoute avec compassion : plus tard
je l'épouserai pour la protéger. Je le lui promets :
j'étendrai ma main sur elle, je mettrai ma jeune
importance à son service. Pense-t-on que je vais

lui obéir? J'ai la bonté de céder à ses prières. Elle
ne me donne pas d'ordres d'ailleurs : elle esquisse
en mots légers un avenir qu'elle me loue de bien
vouloir réaliser : « Mon petit chéri sera bien
mignon, bien raisonnable, il va se laisser mettre
des gouttes dans le nez bien gentiment. » Je me
laisse prendre au piège de ces prophéties douil-
lettes.

Restait le patriarche : il ressemblait tant à Dieu
le Père qu'on le prenait souvent pour lui. Un jour,
il entra dans une église par la sacristie; le curé
menaçait les tièdes des foudres célestes : « Dieu
est là! Il vous voit! » Tout à coup les fidèles décou-
vrirent, sous la chaire, un grand vieillard barbu
qui les regardait : ils s'enfuirent. D'autres fois, mon
grand-père disait qu'ils s'étaient jetés à ses genoux.
Il prit goût aux apparitions. Au mois de septembre
1914, il se manifesta dans un cinéma d'Arcachon :
nous étions au balcon, ma mère et moi, quand il
réclama la lumière; d'autres messieurs faisaient
autour de lui les anges et criaient : « Victoire! Victoire! » Dieu monta sur la scène et lut le commu-
niqué de la Marne. Du temps que sa barbe était
noire, il avait été Jéhovah et je soupçonne qu'Emile
est mort de lui, indirectement. Ce Dieu de colère se
gorgeait du sang de ses fils. Mais j'apparaissais au
terme de sa longue vie, sa barbe avait blanchi, le
tabac l'avait jaunie et la paternité ne l'amusait plus.
M'eût-il engendré, cependant, je crois bien qu'il
n'eût pu s'empêcher de m'asservir : par habitude.
Ma chance fut d'appartenir à un mort : un mort
avait versé les quelques gouttes de sperme qui font
le prix ordinaire d'un enfant; j'étais un fief du

soleil, mon grand-père pouvait jouir de moi sans
me posséder : je fus sa « merveille » parce qu'il
souhaitait finir ses jours en vieillard émerveillé; il
prit le parti de me considérer comme une faveur
singulière du destin, comme un don gratuit et toujours révocable; qu'eût-il exigé de moi? Je le
comblais par ma seule présence. Il fut le Dieu
d'Amour avec la barbe du Père et le Sacré-Cœur
du Fils; il me faisait l'imposition des mains, je sentais sur mon crâne la chaleur de sa paume, il m'appelait son tout-petit d'une voix qui chevrotait de
tendresse, les larmes embuaient ses yeux froids.
Tout le monde se récriait : « Ce garnement l'a
rendu fou! » Il m'adorait, c'était manifeste. M'ai-
mait-il? Dans une passion si publique, j'ai peine
à distinguer la sincérité de l'artifice : je ne crois
pas qu'il ait témoigné beaucoup d'affection à ses
autres petits-fils; il est vrai qu'il ne les voyait guère
et qu'ils n'avaient aucun besoin de lui. Moi, je
dépendais de lui pour tout : il adorait en moi sa
générosité.

A la vérité, il forçait un peu sur le sublime :
c'était un homme du XIXe siècle qui se prenait,
comme tant d'autres, comme Victor Hugo lui-
même, pour Victor Hugo. Je tiens ce bel homme à
barbe de fleuve, toujours entre deux coups de
théâtre, comme l'alcoolique entre deux vins, pour
la victime de deux techniques récemment décou-
vertes : l'art du photographe et l'art d'être grand-
père. Il avait la chance et le malheur d'être photo-
génique; ses photos remplissaient la maison :
comme on ne pratiquait pas l'instantané, il y avait
gagné le goût des poses et des tableaux vivants;

tout lui était prétexte à suspendre ses gestes, à se
figer dans une belle attitude, à se pétrifier; il raf-
folait de ces courts instants d'éternité où il devenait
sa propre statue. Je n'ai gardé de lui — en raison
de son goût pour les tableaux vivants — que des
images raides de lanterne magique : un sous-bois,
je suis assis sur un tronc d'arbre, j'ai cinq ans :
Charles Schweitzer porte un panama, un costume
de flanelle crème à rayures noires, un gilet de piqué
blanc, barré par une chaîne de montre; son pince-
nez pend au bout d'un cordon; il s'incline sur moi,
lève un doigt bagué d'or, parle. Tout est sombre,
tout est humide, sauf sa barbe solaire : il porte son
auréole autour du menton. Je ne sais ce qu'il dit :
j'étais trop soucieux d'écouter pour entendre. Je
suppose que ce vieux républicain d'Empire m'apprenait mes devoirs civiques et me racontait l'histoire bourgeoise; il y avait eu des rois, des empe-
reurs, ils étaient très méchants; on les avait chassés,
tout allait pour le mieux. Le soir, quand nous
allions l'attendre sur la route, nous le reconnais-
sions bientôt, dans la foule des voyageurs qui sortaient du funiculaire, à sa haute taille, à sa
démarche de maître de menuet. Du plus loin qu'il
nous voyait, il se « plaçait », pour obéir aux injonc-
tions d'un photographe invisible : la barbe au vent,
le corps droit, les pieds en équerre, la poitrine
bombée, les bras largement ouverts. A ce signal je
m'immobilisais, je me penchais en avant, j'étais le
coureur qui prend le départ, le petit oiseau qui va
sortir de l'appareil; nous restions quelques instants
face à face, un joli groupe de Saxe, puis je m'élan-
çais, chargé de fruits et de fleurs, du bonheur de

mon grand-père, j'allais buter contre ses genoux
avec un essoufflement feint, il m'enlevait de terre,
me portait aux nues, à bout de bras, me rabattait
sur son cœur en murmurant : « Mon trésor! »
C'était la deuxième figure, très remarquée des passants. Nous jouions une ample comédie aux cent
sketches divers : le flirt, les malentendus vite dis-
sipés, les taquineries débonnaires et les gronderies
gentilles, le dépit amoureux, les cachotteries tendres
et la passion; nous imaginions des traverses à notre
amour pour nous donner la joie de les écarter :
j'étais impérieux parfois mais les caprices ne pouvaient masquer ma sensibilité exquise; il montrait
la vanité sublime et candide qui convient aux
grands-pères, l'aveuglement, les coupables faiblesses
que recommande Hugo. Si l'on m'eût mis au pain
sec, il m'eût porté des confitures; mais les deux
femmes terrorisées se gardaient bien de m'y mettre.
Et puis j'étais un enfant sage : je trouvais mon
rôle si seyant que je n'en sortais pas. En vérité, la
prompte retraite de mon père m'avait gratifié d'un
« Œdipe » fort incomplet : pas de Sur-moi, d'accord, mais point d'agressivité non plus. Ma mère
était à moi, personne ne m'en contestait la tranquille possession : j'ignorais la violence et la haine,
on m'épargna ce dur apprentissage, la jalousie;
faute de m'être heurté à ses angles, je ne connus
d'abord la réalité que par sa rieuse inconsistance.
Contre qui, contre quoi me serais-je révolté : jamais
le caprice d'un autre ne s'était prétendu ma
loi.

Je permets gentiment qu'on me mette mes souliers, des gouttes dans le nez, qu'on me brosse et

qu'on me lave, qu'on m'habille et qu'on me désha-
bille, qu'on me bichonne et qu'on me bouchonne;
je ne connais rien de plus amusant que de jouer à
être sage. Je ne pleure jamais, je ne ris guère, je
ne fais pas de bruit; à quatre ans, l'on m'a pris à
saler la confiture : par amour de la science, je suppose, plus que par malignité; en tout cas, c'est le
seul forfait dont j'aie gardé mémoire. Le dimanche,
ces dames vont parfois à la messe, pour entendre
de bonne musique, un organiste en renom; ni
l'une ni l'autre ne pratiquent mais la foi des autres
les dispose à l'extase musicale; elles croient en
Dieu le temps de goûter une toccata. Ces moments
de haute spiritualité font mes délices : tout le
monde a l'air de dormir, c'est le cas de montrer ce
que je sais faire : à genoux sur le prie-Dieu, je me
change en statue; il ne faut pas même remuer
l'orteil; je regarde droit devant moi, sans ciller,
jusqu'à ce que les larmes roulent sur mes joues;
naturellement, je livre un combat de titan contre
les fourmis, mais je suis sûr de vaincre, si conscient
de ma force que je n'hésite pas à susciter en moi
les tentations les plus criminelles pour me donner
le plaisir de les repousser : si je me levais en
criant « Badaboum! »? Si je grimpais à la colonne
pour faire pipi dans le bénitier? Ces terribles
évocations donneront plus de prix, tout à l'heure,
aux félicitations de ma mère. Mais je me mens; je
feins d'être en péril pour accroître ma gloire : pas
un instant les tentations ne furent vertigineuses; je
crains bien trop le scandale; si je veux étonner,
c'est par mes vertus. Ces faciles victoires me per-
suadent que je possède un bon naturel; je n'ai qu'à

m'y laisser aller pour qu'on m'accable de louanges.
Les mauvais désirs et les mauvaises pensées, quand
il y en a, viennent du dehors; à peine en moi, elles
languissent et s'étiolent : je suis un mauvais terrain
pour le mal. Vertueux par comédie, jamais je ne
m'efforce ni ne me contrains : j'invente. J'ai la
liberté princière de l'acteur qui tient son public
en haleine et raffine sur son rôle. On m'adore, donc
je suis adorable. Quoi de plus simple, puisque le
monde est bien fait? On me dit que je suis beau
et je le crois. Depuis quelque temps, je porte sur
l'œil droit la taie qui me rendra borgne et louche
mais rien n'y paraît encore. On tire de moi cent
photos que ma mère retouche avec des crayons de
couleur. Sur l'une d'elles, qui est restée, je suis
rose et blond, avec des boucles, j'ai la joue ronde
et, dans le regard, une déférence affable pour
l'ordre établi; la bouche est gonflée par une hypo-
crite arrogance : je sais ce que je vaux.

Ce n'est pas assez que mon naturel soit bon; il
faut qu'il soit prophétique : la vérité sort de la
bouche des enfants. Tout proches encore de la
nature, ils sont les cousins du vent et de la mer :
leurs balbutiements offrent à qui sait les entendre
des enseignements larges et vagues. Mon grand-
père avait traversé le lac de Genève avec Henri
Bergson : « J'étais fou d'enthousiasme, disait-il, je
n'avais pas assez d'yeux pour contempler les crêtes
étincelantes, pour suivre les miroitements de l'eau.
Mais Bergson, assis sur une valise, n'a pas cessé
de regarder entre ses pieds. » Il concluait de cet
incident de voyage que la méditation poétique est
préférable à la philosophie. Il médita sur moi : au

jardin, assis dans un transatlantique, un verre de
bière à portée de la main, il me regardait courir
et sauter, il cherchait une sagesse dans mes propos
confus, il l'y trouvait. J'ai ri plus tard de cette
folie; je le regrette : c'était le travail de la mort.
Charles combattait l'angoisse par l'extase. Il admi-
rait en moi l'œuvre admirable de la terre pour se
persuader que tout est bon, même notre fin miteuse.
Cette nature qui se préparait à le reprendre, il
allait la chercher sur les cimes, dans les vagues, au
milieu des étoiles, à la source de ma jeune vie,
pour pouvoir l'embrasser tout entière et tout en
accepter, jusqu'à la fosse qui s'y creusait pour lui.
Ce n'était pas la Vérité, c'était *sa* mort qui lui
parlait par ma bouche. Rien d'étonnant si le fade
bonheur de mes premières années a eu parfois un
goût funèbre : je devais ma liberté à un trépas
opportun, mon importance à un décès très attendu.
Mais quoi : toutes les pythies sont des mortes,
chacun sait cela; tous les enfants sont des miroirs
de mort.

Et puis mon grand-père se plaît à emmerder ses
fils. Ce père terrible a passé sa vie à les écraser;
ils entrent sur la pointe des pieds et le surprennent
aux genoux d'un môme : de quoi leur crever le
cœur! Dans la lutte des générations, enfants et
vieillards font souvent cause commune : les uns
rendent les oracles, les autres les déchiffrent. La
Nature parle et l'expérience traduit : les adultes
n'ont plus qu'à la boucler. A défaut d'enfant, qu'on
prenne un caniche : au cimetière des chiens, l'an
dernier, dans le discours tremblant qui se poursuit
de tombe en tombe, j'ai reconnu les maximes de

mon grand-père : les chiens savent aimer; ils sont
plus tendres que les hommes, plus fidèles; ils ont
du tact, un instinct sans défaut qui leur permet
de reconnaître le Bien, de distinguer les bons des
méchants. « Polonius, disait une inconsolée, tu es
meilleur que je ne suis : tu ne m'aurais pas sur-
vécu; je te survis. » Un ami américain m'accompagnait : outré, il donna un coup de pied à un chien
de ciment et lui cassa l'oreille. Il avait raison :
quand on aime *trop* les enfants et les bêtes, on les
aime contre les hommes.

Donc je suis un caniche d'avenir; je prophétise.
J'ai des mots d'enfant, on les retient, on me les
répète : j'apprends à en faire d'autres. J'ai des
mots d'homme : je sais tenir, sans y toucher, des
propos « au-dessus de mon âge ». Ces propos sont
des poèmes; la recette est simple : il faut se fier au
Diable, au hasard, au vide, emprunter des phrases
entières aux adultes, les mettre bout à bout et les
répéter sans les comprendre. Bref, je rends de vrais
oracles et chacun les entend comme il veut. Le
Bien naît au plus profond de mon cœur, le Vrai
dans les jeunes ténèbres de mon Entendement. Je
m'admire de confiance : il se trouve que mes gestes
et mes paroles ont une qualité qui m'échappe et
qui saute aux yeux des grandes personnes; qu'à
cela ne tienne! je leur offrirai sans défaillance le
plaisir délicat qui m'est refusé. Mes bouffonneries
prennent les dehors de la générosité : de pauvres
gens se désolaient de n'avoir pas d'enfant; attendri,
je me suis tiré du néant dans un emportement d'al-
truisme et j'ai revêtu le déguisement de l'enfance
pour leur donner l'illusion d'avoir un fils. Ma mère

et ma grand-mère m'invitent souvent à répéter
l'acte d'éminente bonté qui m'a donné le jour : elles
flattent les manies de Charles Schweitzer, son goût
pour les coups de théâtre, elles lui ménagent des
surprises. On me cache derrière un meuble, je
retiens mon souffle, les femmes quittent la pièce ou
feignent de m'oublier, je m'anéantis; mon grand-
père entre dans la pièce, las et morne, tel qu'il
serait si je n'existais pas; tout d'un coup, je sors
de ma cachette, je lui fais la grâce de naître, il
m'aperçoit, entre dans le jeu, change de visage et
jette les bras au ciel : je le comble de ma présence.
En un mot, je me donne; je me donne toujours et
partout, je donne tout : il suffit que je pousse une
porte pour avoir, moi aussi, le sentiment de faire
une apparition. Je pose mes cubes les uns sur les
autres, je démoule mes pâtés de sable, j'appelle à
grands cris; quelqu'un vient qui s'exclame; j'ai
fait un heureux de plus. Le repas, le sommeil et
les précautions contre les intempéries forment les
fêtes principales et les principales obligations d'une
vie toute cérémonieuse. Je mange en public, comme
un roi : si je mange *bien*, on me félicite; ma grand-
mère, elle-même, s'écrie : « Qu'il est sage d'avoir
faim ! »

Je ne cesse de me créer; je suis le donateur et
la donation. Si mon père vivait, je connaîtrais mes
droits et mes devoirs; il est mort et je les ignore :
je n'ai pas de droit puisque l'amour me comble;
je n'ai pas de devoir puisque je donne par
amour. Un seul mandat : plaire; tout pour la
montre. Dans notre famille, quelle débauche de
générosité : mon grand-père me fait vivre et moi

je fais son bonheur; ma mère se dévoue à tous.
Quand j'y pense, aujourd'hui, ce dévouement seul
me semble vrai; mais nous avions tendance à le
passer sous silence. N'importe : notre vie n'est
qu'une suite de cérémonies et nous consumons notre
temps à nous accabler d'hommages. Je respecte
les adultes à condition qu'ils m'idolâtrent; je suis
franc, ouvert, doux comme une fille. Je pense bien,
je fais confiance aux gens : tout le monde est bon
puisque tout le monde est content. Je tiens la
société pour une rigoureuse hiérarchie de mérites
et de pouvoirs. Ceux qui occupent le sommet de
l'échelle donnent tout ce qu'ils possèdent à ceux
qui sont au-dessous d'eux. Je n'ai garde, pourtant,
de me placer sur le plus haut échelon : je n'ignore
pas qu'on le réserve à des personnes sévères et bien
intentionnées qui font régner l'ordre. Je me tiens
sur un petit perchoir marginal, non loin d'eux, et
mon rayonnement s'étend du haut en bas de
l'échelle. Bref, je mets tous mes soins à m'écarter
de la puissance séculière : ni au-dessous, ni au-dessus, ailleurs. Petit-fils de clerc, je suis, dès l'enfance,
un clerc; j'ai l'onction des princes d'Eglise, un
enjouement sacerdotal. Je traite les inférieurs en
égaux : c'est un pieux mensonge que je leur fais
pour les rendre heureux et dont il convient qu'ils
soient dupes jusqu'à un certain point. A ma bonne,
au facteur, à ma chienne, je parle d'une voix
patiente et tempérée. Dans ce monde en ordre il
y a des pauvres. Il y a aussi des moutons à cinq
pattes, des sœurs siamoises, des accidents de chemin
de fer : ces anomalies ne sont la faute de personne.
Les bons pauvres ne savent pas que leur office est

d'exercer notre générosité; ce sont des pauvres hon-
teux, ils rasent les murs; je m'élance, je leur glisse
dans la main une pièce de deux sous et, surtout, je
leur fais cadeau d'un beau sourire égalitaire. Je
trouve qu'ils ont l'air bête et je n'aime pas les
toucher mais je m'y force : c'est une épreuve; et
puis il faut qu'ils m'aiment : cet amour embellira
leur vie. Je sais qu'ils manquent du nécessaire et
il me plaît d'être leur superflu. D'ailleurs, quelle
que soit leur misère, ils ne souffriront jamais autant
que mon grand-père : quand il était petit, il se
levait avant l'aube et s'habillait dans le noir;
l'hiver, pour se laver, il fallait briser la glace dans
le pot à eau. Heureusement, les choses se sont
arrangées depuis : mon grand-père croit au Progrès,
moi aussi : le Progrès, ce long chemin ardu qui
mène jusqu'à moi.

C'était le Paradis. Chaque matin, je m'éveillais
dans une stupeur de joie, admirant la chance folle
qui m'avait fait naître dans la famille la plus unie,
dans le plus beau pays du monde. Les mécontents
me scandalisaient : de quoi pouvaient-ils se plaindre? C'étaient des mutins. Ma grand-mère, en par-
ticulier, me donnait les plus vives inquiétudes :
j'avais la douleur de constater qu'elle ne m'admi-
rait pas assez. De fait, Louise m'avait percé à jour.
Elle blâmait ouvertement en moi le cabotinage
qu'elle n'osait reprocher à son mari : j'étais un
polichinelle, un pasquin, un grimacier, elle m'or-
donnait de cesser mes « simagrées ». J'étais d'autant
plus indigné que je la soupçonnais de se moquer
aussi de mon grand-père : c'était « l'Esprit qui

toujours nie ». Je lui *répondais,* elle exigeait des excuses; sûr d'être soutenu, je refusais d'en faire. Mon grand-père saisissait au bond l'occasion de montrer sa faiblesse : il prenait mon parti contre sa femme qui se levait, outragée, pour aller s'enfermer dans sa chambre. Inquiète, craignant les rancunes de ma grand-mère, ma mère parlait bas, donnait humblement tort à son père qui haussait les épaules et se retirait dans son cabinet de travail; elle me suppliait enfin d'aller demander mon pardon. Je jouissais de mon pouvoir : j'étais saint Michel et j'avais terrassé l'Esprit malin. Pour finir, j'allais m'excuser négligemment. A part cela, bien entendu, je l'adorais : *puisque* c'était ma grand-mère. On m'avait suggéré de l'appeler Mamie, d'appeler le chef de famille par son prénom alsacien, Karl. Karl et Mamie, ça sonnait mieux que Roméo et Juliette, que Philémon et Baucis. Ma mère me répétait cent fois par jour non sans intention : « Karlémami nous attendent; Karlémami seront contents, Karlémami... » évoquant par l'intime union de ces quatre syllabes l'accord parfait des personnes. Je n'étais qu'à moitié dupe, je m'arrangeais pour le paraître entièrement : d'abord à mes propres yeux. Le mot jetait son ombre sur la chose; à travers Karlémami je pouvais maintenir l'unité sans faille de la famille et reverser sur la tête de Louise une bonne partie des mérites de Charles. Suspecte et peccamineuse, ma grand-mère, toujours au bord de faillir, était retenue par le bras des anges, par le pouvoir d'un mot.

Il y a de vrais méchants : les Prussiens, qui nous ont pris l'Alsace-Lorraine et toutes nos horloges,

sauf la pendule de marbre noir qui orne la cheminée de mon grand-père et qui lui fut offerte,
justement, par un groupe d'élèves allemands; on
se demande où ils l'ont volée. On m'achète les livres
de Hansi, on m'en fait voir les images : je n'éprouve
aucune antipathie pour ces gros hommes en sucre
rose qui ressemblent si fort à mes oncles alsaciens.
Mon grand-père, qui a choisi la France en 71, va
de temps en temps à Gunsbach, à Pfaffenhofen,
rendre visite à ceux qui sont restés. On m'emmène.
Dans les trains, quand un contrôleur allemand lui
demande ses billets, dans les cafés quand un garçon
tarde à prendre la commande, Charles Schweitzer
s'empourpre de colère patriotique; les deux femmes
se cramponnent à ses bras : « Charles! Y songes-tu?
Ils nous expulseront et tu seras bien avancé! » Mon
grand-père hausse le ton : « Je voudrais bien voir
qu'ils m'expulsent : je suis chez moi! » On me
pousse dans ses jambes, je le regarde d'un air sup-
pliant, il se calme : « C'est bien pour le petit »,
soupire-t-il en me rabotant la tête de ses doigts
secs. Ces scènes m'indisposent contre lui sans m'indigner contre les occupants. Du reste, Charles ne
manque pas, à Gunsbach, de s'emporter contre sa
belle-sœur; plusieurs fois par semaine, il jette sa
serviette sur la table et quitte la salle à manger en
claquant la porte : pourtant, ce n'est pas une Allemande. Après le repas, nous allons gémir et sangloter à ses pieds, il nous oppose un front d'airain.
Comment ne pas souscrire au jugement de ma
grand-mère : « L'Alsace ne lui vaut rien; il ne
devrait pas y retourner si souvent »? D'ailleurs, je
n'aime pas tant les Alsaciens qui me traitent sans

respect, et je ne suis pas si fâché qu'on nous les
ait pris. Il paraît que je vais trop souvent chez
l'épicier de Pfaffenhofen, M. Blumenfeld, que je le
dérange pour un rien. Ma tante Caroline a « fait
des réflexions » à ma mère; on me les communique;
pour une fois, Louise et moi nous sommes
complices : elle déteste la famille de son mari. A
Strasbourg, d'une chambre d'hôtel où nous sommes
réunis, j'entends des sons grêles et lunaires, je
cours à la fenêtre; l'armée! Je suis tout heureux
de voir défiler la Prusse au son de cette musique
puérile, je bats des mains. Mon grand-père est resté
sur sa chaise, il grommelle; ma mère vient me
souffler à l'oreille qu'il faut quitter la fenêtre.
J'obéis en boudant un peu. Je déteste les Allemands, parbleu, mais sans conviction. Du reste,
Charles ne peut se permettre qu'une pointe délicate
de chauvinisme : en 1911 nous avons quitté Meudon
pour nous installer à Paris, 1 rue Le Goff; il a dû
prendre sa retraite et vient de fonder, pour nous
faire vivre, l'Institut des Langues Vivantes : on y
enseigne le français aux étrangers de passage. Par
la méthode directe. Les élèves, pour la plupart,
viennent d'Allemagne. Ils paient bien : mon grand-
père met les louis d'or sans jamais les compter
dans la poche de son veston; ma grand-mère,
insomniaque, se glisse, la nuit, dans le vestibule
pour prélever sa dîme « en catimini » comme elle
dit elle-même à sa fille : en un mot, l'ennemi nous
entretient; une guerre franco-allemande nous rendrait l'Alsace et ruinerait l'Institut : Charles est
pour le maintien de la Paix. Et puis il y a de bons
Allemands, qui viennent déjeuner chez nous : une

romancière rougeaude et velue que Louise appelle
avec un petit rire jaloux : « La Dulcinée de
Charles », un docteur chauve qui pousse ma mère
contre les portes et tente de l'embrasser; quand
elle s'en plaint timidement, mon grand-père
éclate : « Vous me brouillez avec tout le monde! »
Il hausse les épaules, conclut : « Tu as eu des
visions, ma fille », et c'est elle qui se sent coupable. Tous ces invités comprennent qu'il faut
s'extasier sur mes mérites, ils me tripotent docile-
ment : c'est donc qu'ils possèdent, en dépit de leurs
origines, une obscure notion du Bien. A la fête
anniversaire de la fondation de l'Institut, il y a
plus de cent invités, de la tisane de champagne,
ma mère et Mlle Moutet jouent du Bach à quatre
mains; en robe de mousseline bleue, avec des étoiles
dans les cheveux, des ailes, je vais de l'un à l'autre,
offrant des mandarines dans une corbeille, on se
récrie : « C'est *réellement* un ange! » Allons, ce
ne sont pas de si mauvaises gens. Bien entendu,
nous n'avons pas renoncé à venger l'Alsace martyre : en famille, à voix basse, comme font les cousins de Gunsbach et de Pfaffenhofen, nous tuons les
Boches par le ridicule; on rit cent fois de suite, sans
se lasser, de cette étudiante qui vient d'écrire dans
un thème français : « Charlotte était percluse de
douleurs sur la tombe de Werther », de ce jeune professeur qui, au cours d'un dîner, a considéré sa tranche de melon avec défiance et fini par la manger
tout entière y compris les pépins et l'écorce. Ces
bévues m'inclinent à l'indulgence : les Allemands
sont des êtres inférieurs qui ont la chance d'être
nos voisins; nous leur donnerons nos lumières.

Un baiser sans moustache, disait-on alors, c'est
comme un œuf sans sel; j'ajoute : et comme le
Bien sans Mal, comme ma vie entre 1905 et 1914.
Si l'on ne se définit qu'en s'opposant, j'étais l'indé-
fini en chair et en os; si l'amour et la haine sont
l'avers et le revers de la même médaille, je n'aimais
rien ni personne. C'était bien fait : on ne peut pas
demander à la fois de haïr et de plaire. Ni de plaire
et d'aimer.

Suis-je donc un Narcisse? Pas même : trop soucieux de séduire, je m'oublie. Après tout, ça ne
m'amuse pas tant de faire des pâtés, des gribouillages, mes besoins naturels : pour leur donner du
prix à mes yeux, il faut qu'au moins une grande
personne s'extasie sur mes produits. Heureusement,
les applaudissements ne manquent pas : qu'ils
écoutent mon babillage ou l'Art de la Fugue, les
adultes ont le même sourire de dégustation malicieuse et de connivence; cela montre ce que je suis
au fond : un bien culturel. La culture m'imprègne
et je la rends à la famille par rayonnement, comme
les étangs, au soir, rendent la chaleur du jour.

J'ai commencé ma vie comme je la finirai sans
doute : au milieu des livres. Dans le bureau de
mon grand-père, il y en avait partout; défense était
faite de les épousseter sauf une fois l'an, avant la
rentrée d'octobre. Je ne savais pas encore lire que,
déjà, je les révérais, ces pierres levées : droites ou
penchées, serrées comme des briques sur les rayons
de la bibliothèque ou noblement espacées en allées

de menhirs, je sentais que la prospérité de notre
famille en dépendait. Elles se ressemblaient toutes,
je m'ébattais dans un minuscule sanctuaire, entouré
de monuments trapus, antiques, qui m'avaient vu
naître, qui me verraient mourir et dont la permanence me garantissait un avenir aussi calme que
le passé. Je les touchais en cachette pour honorer
mes mains de leur poussière mais je ne savais trop
qu'en faire et j'assistais chaque jour à des cérémonies dont le sens m'échappait : mon grand-père —
si maladroit, d'habitude, que ma mère lui bouton-
nait ses gants — maniait ces objets culturels avec
une dextérité d'officiant. Je l'ai vu mille fois se
lever d'un air absent, faire le tour de sa table, traverser la pièce en deux enjambées, prendre un
volume sans hésiter, sans se donner le temps de
choisir, le feuilleter en regagnant son fauteuil, par
un mouvement combiné du pouce et de l'index
puis, à peine assis, l'ouvrir d'un coup sec « à
la bonne page » en le faisant craquer comme un
soulier. Quelquefois je m'approchais pour observer
ces boîtes qui se fendaient comme des huîtres et je
découvrais la nudité de leurs organes intérieurs,
des feuilles blêmes et moisies, légèrement boursou-
flées, couvertes de veinules noires, qui buvaient
l'encre et sentaient le champignon.

Dans la chambre de ma grand-mère les livres
étaient couchés; elle les empruntait à un cabinet
de lecture et je n'en ai jamais vu plus de deux à la
fois. Ces colifichets me faisaient penser à des confi-
series de Nouvel An parce que leurs feuillets
souples et miroitants semblaient découpés dans du
papier glacé. Vifs, blancs, presque neufs, ils ser-

vaient de prétexte à des mystères légers. Chaque
vendredi, ma grand-mère s'habillait pour sortir et
disait : « Je vais *les* rendre »; au retour, après avoir
ôté son chapeau noir et sa voilette, elle *les* tirait
de son manchon et je me demandais, mystifié :
« Sont-ce les mêmes? » Elle les « couvrait » soi-
gneusement puis, après avoir choisi l'un d'eux, s'installait près de la fenêtre, dans sa bergère à oreil-
lettes, chaussait ses besicles, soupirait de bonheur
et de lassitude, baissait les paupières avec un fin
sourire voluptueux que j'ai retrouvé depuis sur les
lèvres de la Joconde; ma mère se taisait, m'invitait
à me taire, je pensais à la messe, à la mort, au
sommeil : je m'emplissais d'un silence sacré. De
temps en temps, Louise avait un petit rire; elle
appelait sa fille, pointait du doigt sur une ligne
et les deux femmes échangeaient un regard
complice. Pourtant, je n'aimais pas ces brochures
trop distinguées; c'étaient des intruses et mon
grand-père ne cachait pas qu'elles faisaient l'objet
d'un culte mineur, exclusivement féminin. Le
dimanche, il entrait par désœuvrement dans la
chambre de sa femme et se plantait devant elle
sans rien trouver à lui dire; tout le monde le regardait, il tambourinait contre la vitre puis, à bout
d'invention, se retournait vers Louise et lui ôtait
des mains son roman : « Charles! s'écriait-elle
furieuse, tu vas me perdre ma page! » Déjà, les
sourcils hauts, il lisait; brusquement son index
frappait la brochure : « Comprends pas! — Mais
comment veux-tu comprendre? disait ma grand-
mère : tu lis par-dedans! » Il finissait par jeter le
livre sur la table et s'en allait en haussant les épaules.

Il avait sûrement raison puisqu'il était du métier.
Je le savais : il m'avait montré, sur un rayon de la
bibliothèque, de forts volumes cartonnés et recou-
verts de toile brune. « Ceux-là, petit, c'est le grand-
père qui les a faits. » Quelle fierté! J'étais le petit-
fils d'un artisan spécialisé dans la fabrication des
objets saints, aussi respectable qu'un facteur
d'orgues, qu'un tailleur pour ecclésiastiques. Je le
vis à l'œuvre : chaque année, on rééditait le
Deutsches Lesebuch. Aux vacances, toute la
famille attendait les épreuves impatiemment :
Charles ne supportait pas l'inaction, il se fâchait
pour passer le temps. Le facteur apportait enfin de
gros paquets mous, on coupait les ficelles avec des
ciseaux; mon grand-père dépliait les placards, les
étalait sur la table de la salle à manger et les
sabrait de traits rouges; à chaque faute d'impression il jurait le nom de Dieu entre ses dents mais
il ne criait plus sauf quand la bonne prétendait
mettre le couvert. Tout le monde était content.
Debout sur une chaise, je contemplais dans l'extase
ces lignes noires, striées de sang. Charles Schweitzer
m'apprit qu'il avait un ennemi mortel, son Editeur.
Mon grand-père n'avait jamais su compter : pro-
digue par insouciance, généreux par ostentation,
il finit par tomber, beaucoup plus tard, dans cette
maladie des octogénaires, l'avarice, effet de l'impo-
tence et de la peur de mourir. A cette époque, elle
ne s'annonçait que par une étrange méfiance :
quand il recevait, par mandat, le montant de ses
droits d'auteur, il levait les bras au ciel en criant
qu'on lui coupait la gorge ou bien il entrait chez
ma grand-mère et déclarait sombrement : « Mon

éditeur me vole comme dans un bois. » Je découvris, stupéfait, l'exploitation de l'homme par
l'homme. Sans cette abomination, heureusement
circonscrite, le monde eût été bien fait, pourtant :
les patrons donnaient selon leurs capacités aux
ouvriers selon leurs mérites. Pourquoi fallait-il que
les éditeurs, ces vampires, le déparassent en buvant
le sang de mon pauvre grand-père? Mon respect
s'accrut pour ce saint homme dont le dévouement
ne trouvait pas de récompense : je fus préparé de
bonne heure à traiter le professorat comme un
sacerdoce et la littérature comme une passion.

Je ne savais pas encore lire mais j'étais assez
snob pour exiger d'avoir *mes* livres. Mon grand-
père se rendit chez son coquin d'éditeur et se fit
donner *Les Contes* du poète Maurice Bouchor,
récits tirés du folklore et mis au goût de l'enfance
par un homme qui avait gardé, disait-il, des yeux
d'enfant. Je voulus commencer sur l'heure les
cérémonies d'appropriation. Je pris les deux petits
volumes, je les flairai, je les palpai, les ouvris
négligemment « à la bonne page » en les faisant
craquer. En vain : je n'avais pas le sentiment de
les posséder. J'essayai sans plus de succès de les
traiter en poupées, de les bercer, de les embrasser,
de les battre. Au bord des larmes, je finis par les
poser sur les genoux de ma mère. Elle leva les
yeux de son ouvrage : « Que veux-tu que je te lise,
mon chéri? Les Fées? » Je demandais, incrédule :
« Les Fées, c'est *là-dedans?* » Cette histoire m'était
familière : ma mère me la racontait souvent, quand
elle me débarbouillait, en s'interrompant pour me
frictionner à l'eau de Cologne, pour ramasser, sous

la baignoire, le savon qui lui avait glissé des mains
et j'écoutais distraitement le récit trop connu; je
n'avais d'yeux que pour Anne-Marie, cette jeune
fille de tous mes matins; je n'avais d'oreilles que
pour sa voix troublée par la servitude; je me
plaisais à ses phrases inachevées, à ses mots toujours en retard, à sa brusque assurance, vivement
défaite et qui se tournait en déroute pour disparaître dans un effilochement mélodieux et se
recomposer après un silence. L'histoire, ça venait
par-dessus le marché : c'était le lien de ses soliloques. Tout le temps qu'elle parlait nous étions
seuls et clandestins, loin des hommes, des dieux et
des prêtres, deux biches au bois, avec ces autres
biches, les Fées; je n'arrivais pas à croire qu'on
eût composé tout un livre pour y faire figurer cet
épisode de notre vie profane, qui sentait le savon
et l'eau de Cologne.

Anne-Marie me fit asseoir en face d'elle, sur ma
petite chaise; elle se pencha, baissa les paupières,
s'endormit. De ce visage de statue sortit une voix
de plâtre. Je perdis la tête : qui racontait? quoi?
et à qui? Ma mère s'était absentée : pas un sourire,
pas un signe de connivence, j'étais en exil. Et puis
je ne reconnaissais pas son langage. Où prenait-elle
cette assurance? Au bout d'un instant j'avais
compris : c'était le livre qui parlait. Des phrases
en sortaient qui me faisaient peur : c'étaient de
vrais mille-pattes, elles grouillaient de syllabes et
de lettres, étiraient leurs diphtongues, faisaient
vibrer les doubles consonnes; chantantes, nasales,
coupées de pauses et de soupirs, riches en mots
inconnus, elles s'enchantaient d'elles-mêmes et de

leurs méandres sans se soucier de moi : quelquefois
elles disparaissaient avant que j'eusse pu les
comprendre, d'autres fois j'avais compris d'avance
et elles continuaient de rouler noblement vers leur
fin sans me faire grâce d'une virgule. Assurément,
ce discours ne m'était pas destiné. Quant à l'histoire, elle s'était endimanchée : le bûcheron, la
bûcheronne et leurs filles, la fée, toutes ces petites
gens, nos semblables, avaient pris de la majesté;
on parlait de leurs guenilles avec magnificence, les
mots déteignaient sur les choses, transformant les
actions en rites et les événements en cérémonies.
Quelqu'un se mit à poser des questions : l'éditeur
de mon grand-père, spécialisé dans la publication
d'ouvrages scolaires, ne perdait aucune occasion
d'exercer la jeune intelligence de ses lecteurs. Il
me sembla qu'on interrogeait un enfant : à la place
du bûcheron, qu'eût-il fait? Laquelle des deux
sœurs préférait-il? Pourquoi? Approuvait-il le châ-
timent de Babette? Mais cet enfant n'était pas tout
à fait moi et j'avais peur de répondre. Je répondis
pourtant, ma faible voix se perdit et je me sentis
devenir un autre. Anne-Marie, aussi, c'était une
autre, avec son air d'aveugle extra-lucide : il me
semblait que j'étais l'enfant de toutes les mères,
qu'elle était la mère de tous les enfants. Quand elle
cessa de lire, je lui repris vivement les livres et
les emportai sous mon bras sans dire merci.

A la longue je pris plaisir à ce déclic qui m'arrachait de moi-même : Maurice Bouchor se penchait
sur l'enfance avec la sollicitude universelle qu'ont
les chefs de rayon pour les clientes des grands
magasins; cela me flattait. Aux récits improvisés,

je vins à préférer les récits préfabriqués; je devins
sensible à la succession rigoureuse des mots : à
chaque lecture ils revenaient, toujours les mêmes
et dans le même ordre, je les attendais. Dans les
contes d'Anne-Marie, les personnages vivaient au
petit bonheur, comme elle faisait elle-même : ils
acquirent des destins. J'étais à la Messe : j'assistais
à l'éternel retour des noms et des événements.

Je fus alors jaloux de ma mère et je résolus de
lui prendre son rôle. Je m'emparai d'un ouvrage
intitulé *Tribulations d'un Chinois en Chine* et je
l'emportai dans un cabinet de débarras; là, perché
sur un lit-cage, je fis semblant de lire : je suivais
des yeux les lignes noires sans en sauter une seule
et je me racontais une histoire à voix haute, en
prenant soin de prononcer toutes les syllabes. On
me surprit — ou je me fis surprendre — on se
récria, on décida qu'il était temps de m'enseigner
l'alphabet. Je fus zélé comme un catéchumène;
j'allais jusqu'à me donner des leçons particulières :
je grimpais sur mon lit-cage avec *Sans Famille*
d'Hector Malot, que je connaissais par cœur et,
moitié récitant, moitié déchiffrant, j'en parcourus
toutes les pages l'une après l'autre : quand la dernière fut tournée, je savais lire.

J'étais fou de joie : à moi ces voix séchées dans
leurs petits herbiers, ces voix que mon grand-père
ranimait de son regard, qu'il entendait, que je
n'entendais pas! Je les écouterais, je m'emplirais
de discours cérémonieux, je saurais tout. On me
laissa vagabonder dans la bibliothèque et je donnai
l'assaut à la sagesse humaine. C'est ce qui m'a fait.
Plus tard, j'ai cent fois entendu les antisémites

reprocher aux juifs d'ignorer les leçons et les
silences de la nature; je répondais : « En ce cas,
je suis plus juif qu'eux. » Les souvenirs touffus et
la douce déraison des enfances paysannes, en vain
les chercherais-je en moi. Je n'ai jamais gratté la
terre ni quêté des nids, je n'ai pas herborisé ni
lancé des pierres aux oiseaux. Mais les livres ont
été mes oiseaux et mes nids, mes bêtes domestiques,
mon étable et ma campagne; la bibliothèque,
c'était le monde pris dans un miroir; elle en avait
l'épaisseur infinie, la variété, l'imprévisibilité. Je
me lançai dans d'incroyables aventures : il fallait
grimper sur les chaises, sur les tables, au risque de
provoquer des avalanches qui m'eussent enseveli.
Les ouvrages du rayon supérieur restèrent longtemps hors de ma portée; d'autres, à peine je les
avais découverts, me furent ôtés des mains;
d'autres, encore, se cachaient : je les avais pris,
j'en avais commencé la lecture, je croyais les avoir
remis en place, il fallait une semaine pour les
retrouver. Je fis d'horribles rencontres : j'ouvrais
un album, je tombais sur une planche en couleurs,
des insectes hideux grouillaient sous ma vue.
Couché sur le tapis, j'entrepris d'arides voyages à
travers Fontenelle, Aristophane, Rabelais : les
phrases me résistaient à la manière des choses; il
fallait les observer, en faire le tour, feindre de
m'éloigner et revenir brusquement sur elles pour
les surprendre hors de leur garde : la plupart
du temps, elles gardaient leur secret. J'étais
La Pérouse, Magellan, Vasco de Gama; je découvrais des indigènes étranges : « Héautontimorou-
ménos » dans une traduction de Térence en

alexandrins, « idiosyncrasie » dans un ouvrage de
littérature comparée. Apocope, Chiasme, Parangon,
cent autres Cafres impénétrables et distants surgissaient au détour d'une page et leur seule apparition disloquait tout le paragraphe. Ces mots durs
et noirs, je n'en ai connu le sens que dix ou
quinze ans plus tard et, même aujourd'hui, ils
gardent leur opacité : c'est l'humus de ma mémoire.

La bibliothèque ne comprenait guère que les
grands classiques de France et d'Allemagne. Il y
avait des grammaires, aussi, quelques romans
célèbres, les *Contes choisis* de Maupassant, des
ouvrages d'art — un *Rubens,* un *Van Dyck,* un
Dürer, un *Rembrandt* — que les élèves de mon
grand-père lui avaient offerts à l'occasion d'un
Nouvel An. Maigre univers. Mais le Grand Larousse
me tenait lieu de tout : j'en prenais un tome au
hasard, derrière le bureau, sur l'avant-dernier
rayon, A-Bello, Belloc-Ch ou Ci-D, Mele-Po ou
Pr-Z (ces associations de syllabes étaient devenues
des noms propres qui désignaient les secteurs du
savoir universel : il y avait la région Ci-D, la
région Pr-Z, avec leur faune et leur flore, leurs
villes, leurs grands hommes et leurs batailles) ; je
le déposais péniblement sur le sous-main de mon
grand-père, je l'ouvrais, j'y dénichais les vrais
oiseaux, j'y faisais la chasse aux vrais papillons
posés sur de vraies fleurs. Hommes et bêtes étaient
là, *en personne :* les gravures, c'étaient leurs corps,
le texte, c'était leur âme, leur essence singulière;
hors les murs, on rencontrait de vagues ébauches
qui s'approchaient plus ou moins des archétypes
sans atteindre à leur perfection : au Jardin d'Accli-

matation, les singes étaient moins singes, au Jardin
du Luxembourg, les hommes étaient moins hommes.
Platonicien par état, j'allais du savoir à son objet;
je trouvais à l'idée plus de réalité qu'à la chose,
parce qu'elle se donnait à moi d'abord et parce
qu'elle se donnait comme une chose. C'est dans
les livres que j'ai rencontré l'univers : assimilé,
classé, étiqueté, pensé, redoutable encore; et j'ai
confondu le désordre de mes expériences livresques
avec le cours hasardeux des événements réels. De
là vint cet idéalisme dont j'ai mis trente ans à me
défaire.

La vie quotidienne était limpide : nous fréquen-
tions des personnes rassises qui parlaient haut et
clair, fondaient leurs certitudes sur de sains principes, sur la Sagesse des Nations et ne daignaient
se distinguer du commun que par un certain
maniérisme de l'âme auquel j'étais parfaitement
habitué. A peine émis, leurs avis me convain-
quaient par une évidence cristalline et simplette;
voulaient-elles justifier leurs conduites, elles fournissaient des raisons si ennuyeuses qu'elles ne
pouvaient manquer d'être vraies; leurs cas de
conscience, complaisamment exposés, me trou-
blaient moins qu'ils ne m'édifiaient : c'étaient de
faux conflits résolus d'avance, toujours les mêmes;
leurs torts, quand elles les reconnaissaient, ne
pesaient guère : la précipitation, une irritation
légitime mais sans doute exagérée avaient altéré
leur jugement; par bonheur, elles s'en étaient
avisées à temps; les torts des absents, plus graves,
n'étaient jamais impardonnables : on ne médisait
point, chez nous, on constatait, dans l'affliction,

les défauts d'un caractère. J'écoutais, je comprenais, j'approuvais, je trouvais ces propos rassurants et je n'avais pas tort puisqu'ils visaient à rassurer : rien n'est sans remède et, dans le fond, rien ne bouge, les vaines agitations de la surface ne doivent pas nous cacher le calme mortuaire qui est notre lot.

Nos visiteurs prenaient congé, je restais seul, je m'évadais de ce banal cimetière, j'allais rejoindre la vie, la folie dans les livres. Il me suffisait d'en ouvrir un pour y redécouvrir cette pensée inhumaine, inquiète dont les pompes et les ténèbres passaient mon entendement, qui sautait d'une idée à l'autre, si vite que je lâchais prise, cent fois par page, et la laissais filer, étourdi, perdu. J'assistais à des événements que mon grand-père eût certainement jugé invraisemblables et qui, pourtant, avaient l'éclatante vérité des choses écrites. Les personnages surgissaient sans crier gare, s'aimaient, se brouillaient, s'entr'égorgeaient; le survivant se consumait de chagrin, rejoignait dans la tombe l'ami, la tendre maîtresse qu'il venait d'assassiner. Que fallait-il faire? Etais-je appelé, comme les grandes personnes, à blâmer, féliciter, absoudre? Mais ces originaux n'avaient pas du tout l'air de se guider sur nos principes et leurs motifs, même lorsqu'on les donnait, m'échappaient. Brutus tue son fils et c'est ce que fait aussi Mateo Falcone. Cette pratique paraissait donc assez commune. Autour de moi, pourtant, personne n'y avait recouru. A Meudon, mon grand-père s'était brouillé avec mon oncle Emile et je les avais entendus crier dans le jardin : il ne semblait pas, cependant, qu'il

eût songé à l'abattre. Comment jugeait-il les pères
infanticides? Moi, je m'abstenais : mes jours
n'étaient pas en danger puisque j'étais orphelin
et ces meurtres d'apparat m'amusaient un peu,
mais, dans les récits qu'on en faisait, je sentais une
approbation qui me déroutait. Horace, j'étais obligé
de me faire violence pour ne pas cracher sur la
gravure qui le montrait casqué, l'épée nue, courant
après la pauvre Camille. Karl fredonnait parfois :

> *On n' peut pas êt' plus proch' parents*
> *Que frère et sœur assurément...*

Ça me troublait : si l'on m'eût donné, par chance,
une sœur, m'eût-elle été plus proche qu'Anne-
Marie? Que Karlémami? Alors c'eût été mon
amante. Amante n'était encore qu'un mot téné-
breux que je rencontrais souvent dans les tragédies
de Corneille. Des amants s'embrassent et se pro-
mettent de dormir dans le même lit (étrange
coutume : pourquoi pas dans des lits jumeaux
comme nous faisions, ma mère et moi?). Je ne
savais rien de plus mais sous la surface lumineuse
de l'idée, je pressentais une masse velue. Frère, en
tout cas, j'eusse été incestueux. J'y rêvais. Dériva-
tion? Camouflage de sentiments interdits? C'est
bien possible. J'avais une sœur aînée, ma mère, et
je souhaitais une sœur cadette. Aujourd'hui
encore — 1963 — c'est bien le seul lien de parenté
qui m'émeuve [1]. J'ai commis la grave erreur de

---

1. Vers dix ans, je me délectais en lisant *Les Trans-
atlantiques* : on y montre un petit Américain et sa sœur,
fort innocents, d'ailleurs. Je m'incarnais dans le garçon et

chercher souvent parmi les femmes cette sœur qui
n'avait pas eu lieu : débouté, condamné aux
dépens. N'empêche que je ressuscite, en écrivant
ces lignes, la colère qui me prit contre le meurtrier
de Camille; elle est si fraîche et si vivante que je
me demande si le crime d'Horace n'est pas une des
sources de mon antimilitarisme : les militaires
tuent leurs sœurs. Je lui en aurais fait voir, moi,
à ce soudard. Pour commencer, au poteau! Et
douze balles dans la peau! Je tournais la page; des
caractères d'imprimerie me démontraient mon
erreur : il fallait *acquitter* le sororicide. Pendant
quelques instants, je soufflais, je frappais du sabot,
taureau déçu par le leurre. Et puis, je me hâtais
de jeter des cendres sur ma colère. C'était comme
ça; je devais en prendre mon parti : j'étais trop
jeune. J'avais tout pris de travers; la nécessité de
cet acquittement se trouvait justement établie par
les nombreux alexandrins qui m'étaient restés her-
métiques ou que j'avais sautés par impatience.
J'aimais cette incertitude et que l'histoire m'échapp-
pât de tout côté : cela me dépaysait. Vingt fois je
relus les dernières pages de *Madame Bovary*; à la

j'aimais, à travers lui, Biddy, la fillette. J'ai longtemps
rêvé d'écrire un conte sur deux enfants perdus et discrè-
tement incestueux. On trouverait dans mes écrits des
traces de ce fantasme : Oreste et Electre, dans *Les Mouches*,
Boris et Ivich dans *Les Chemins de la Liberté*, Frantz et
Leni dans *Les Séquestrés d'Altona*. Ce dernier couple
est le seul à passer aux actes. Ce qui me séduisait dans
ce lien de famille, c'était moins la tentation amoureuse
que l'interdiction de faire l'amour : feu et glace, délices
et frustration mêlées, l'inceste me plaisait s'il restait
platonique.

fin, j'en savais des paragraphes entiers par cœur
sans que la conduite du pauvre veuf me devînt plus
claire : il trouvait des lettres, était-ce une raison
pour laisser pousser sa barbe ? Il jetait un regard
sombre à Rodolphe, donc il lui gardait rancune —
de *quoi*, au fait ? Et pourquoi lui disait-il : « Je
ne vous en veux pas » ? Pourquoi Rodolphe le
trouvait-il « comique et un peu vil » ? Ensuite
Charles Bovary mourait : de chagrin ? de maladie ?
Et pourquoi le docteur l'ouvrait-il puisque tout
était fini ? J'aimais cette résistance coriace dont je
ne venais jamais à bout ; mystifié, fourbu, je goûtais
l'ambiguë volupté de comprendre sans comprendre : c'était l'épaisseur du monde ; le cœur
humain dont mon grand-père parlait volontiers en
famille, je le trouvais fade et creux partout sauf
dans les livres. Des noms vertigineux condition-
naient mes humeurs, me plongeaient dans des ter-
reurs ou des mélancolies dont les raisons m'échappaient. Je disais « Charbovary » et je voyais, nulle
part, un grand barbu en loques se promener dans
un enclos : ce n'était pas supportable. A la source
de ces anxieuses délices il y avait la combinaison
de deux peurs contradictoires. Je craignais de
tomber la tête la première dans un univers fabuleux
et d'y errer sans cesse, en compagnie d'Horace, de
Charbovary, sans espoir de retrouver la rue Le Goff,
Karlémami ni ma mère. Et, d'un autre côté, je
devinais que ces défilés de phrases offraient aux
lecteurs adultes des significations qui se dérobaient
à moi. J'introduisais dans ma tête, par les yeux, des
mots vénéneux, infiniment plus riches que je ne
savais ; une force étrangère recomposait en moi

par le discours des histoires de furieux qui ne me
concernaient pas, un atroce chagrin, le délabrement
d'une vie : n'allais-je pas m'infecter, mourir empoi-
sonné? Absorbant le Verbe, absorbé par l'image,
je ne me sauvais, en somme, que par l'incompa-
tibilité de ces deux périls simultanés. A la tombée
du jour, égaré dans une jungle de paroles, tres-
saillant au moindre bruit, prenant les craquements
du parquet pour des interjections, je croyais
découvrir le langage à l'état de nature, sans les
hommes. Avec quel lâche soulagement, avec quelle
déception, je retrouvais la banalité familiale quand
ma mère entrait et donnait de la lumière en
s'écriant : « Mon pauvre chéri, mais tu t'arraches
les yeux! » Hagard, je bondissais sur mes pieds,
je criais, je courais, je faisais le pasquin. Mais
jusque dans cette enfance reconquise, je me tra-
cassais : *de quoi* parlent les livres? Qui les écrit?
Pourquoi? Je m'ouvris de ces inquiétudes à mon
grand-père qui, après réflexion, jugea qu'il était
temps de m'affranchir et fit si bien qu'il me
marqua.

Longtemps il m'avait fait sauter sur sa jambe
tendue en chantant : « A cheval sur mon bidet;
quand il trotte il fait des pets », et je riais de
scandale. Il ne chanta plus : il m'assit sur ses
genoux et me regarda dans le fond des yeux : « Je
suis homme, répétait-il d'une voix publique, je suis
homme et rien d'humain ne m'est étranger. » Il
exagérait beaucoup : comme Platon fit du poète,
Karl chassait de sa République l'ingénieur, le marchand et probablement l'officier. Les fabriques lui
gâtaient le paysage; des sciences pures, il ne goûtait

que la pureté. A Guérigny où nous passions la
dernière quinzaine de juillet, mon oncle Georges
nous emmenait visiter les fonderies : il faisait
chaud, des hommes brutaux et mal vêtus nous
bousculaient; abasourdi par des bruits géants, je
mourais de peur et d'ennui; mon grand-père
regardait la coulée en sifflant, par politesse, mais
son œil restait mort. En Auvergne, par contre, au
mois d'août, il furetait à travers les villages, se
plantait devant les vieilles maçonneries, frappait
les briques du bout de sa canne : « Ce que tu vois
là, petit, me disait-il avec animation, c'est un mur
gallo-romain. » Il appréciait aussi l'architecture
religieuse et, bien qu'il abominât les papistes, il
ne manquait jamais d'entrer dans les églises quand
elles étaient gothiques; romanes, cela dépendait
de son humeur. Il n'allait plus guère au concert
mais il y avait été : il aimait Beethoven, sa pompe,
ses grands orchestres; Bach aussi, sans élan. Parfois
il s'approchait du piano et, sans s'asseoir, plaquait
de ses doigts gourds quelques accords : ma grand-
mère disait, avec un sourire fermé : « Charles
compose. » Ses fils étaient devenus — Georges
surtout — de bons exécutants qui détestaient
Beethoven et préféraient à tout la musique de
chambre; ces divergences de vue ne gênaient pas
mon grand-père; il disait d'un air bon : « Les
Schweitzer sont nés musiciens. » Huit jours après
ma naissance, comme je semblais m'égayer au tin-
tement d'une cuiller, il avait décrété que j'avais
de l'oreille.

Des vitraux, des arcs-boutants, des portails
sculptés, des chorals, des crucifixions taillées dans

le bois ou la pierre, des Méditations en vers ou des
Harmonies poétiques : ces Humanités-là nous rame-
naient sans détour au Divin. D'autant plus qu'il
fallait y ajouter les beautés naturelles. Un même
souffle modelait les ouvrages de Dieu et les grandes
œuvres humaines; un même arc-en-ciel brillait
dans l'écume des cascades, miroitait entre les lignes
de Flaubert, luisait dans les clairs-obscurs de Rembrandt : c'était l'Esprit. L'Esprit parlait à Dieu des
Hommes, aux hommes il témoignait de Dieu. Dans
la Beauté, mon grand-père voyait la présence charnelle de la Vérité et la source des élévations les
plus nobles. En certaines circonstances exception-
nelles — quand un orage éclatait dans la montagne,
quand Victor Hugo était inspiré — on pouvait
atteindre au Point Sublime où le Vrai, le Beau, le
Bien se confondaient.

J'avais trouvé ma religion : rien ne me parut
plus important qu'un livre. La bibliothèque, j'y
voyais un temple. Petit-fils de prêtre, je vivais sur
le toit du monde, au sixième étage, perché sur la
plus haute branche de l'Arbre Central : le tronc,
c'était la cage de l'ascenseur. J'allais, je venais sur
le balcon, je jetais sur les passants un regard de
surplomb, je saluais, à travers la grille, Lucette
Moreau, ma voisine, qui avait mon âge, mes boucles
blondes et ma jeune féminité, je rentrais dans la
cella ou dans le *pronaos,* je n'en descendais jamais
en personne : quand ma mère m'emmenait au
Luxembourg — c'est-à-dire : quotidiennement —
je prêtais ma guenille aux basses contrées mais
mon corps glorieux ne quittait pas son perchoir,
je crois qu'il y est encore. Tout homme a son lieu

naturel; ni l'orgueil ni la valeur n'en fixent l'alti-
tude : l'enfance décide. Le mien, c'est un sixième
étage parisien avec vue sur les toits. Longtemps
j'étouffai dans les vallées, les plaines m'acca-
blèrent : je me traînais sur la planète Mars, la
pesanteur m'écrasait; il me suffisait de gravir une
taupinière pour retrouver la joie : je regagnais
mon sixième symbolique, j'y respirais de nouveau
l'air raréfié des Belles-Lettres, l'Univers s'étageait
à mes pieds et toute chose humblement sollicitait
un nom, le lui donner c'était à la fois la créer et la
prendre. Sans cette illusion capitale, je n'eusse
jamais écrit.

Aujourd'hui, 22 avril 1963, je corrige ce manuscrit au dixième étage d'une maison neuve : par la
fenêtre ouverte, je vois un cimetière, Paris, les
collines de Saint-Cloud, bleues. C'est dire mon
obstination. Tout a changé, pourtant. Enfant,
eussé-je voulu mériter cette position élevée, il faudrait voir dans mon goût des pigeonniers un effet
de l'ambition, de la vanité, une compensation de
ma petite taille. Mais non; il n'était pas question
de grimper sur mon arbre sacré : j'y étais, je
refusais d'en descendre; il ne s'agissait pas de me
placer au-dessus des hommes : je voulais vivre en
plein éther parmi les simulacres aériens des Choses.
Plus tard, loin de m'accrocher à des montgolfières,
j'ai mis tout mon zèle à couler bas : il fallut
chausser des semelles de plomb. Avec de la chance,
il m'est arrivé parfois de frôler, sur des sables nus,
des espèces sous-marines dont je devais inventer
le nom. D'autres fois, rien à faire : une irrésistible
légèreté me retenait à la surface. Pour finir, mon

altimètre s'est détraqué, je suis tantôt ludion, tantôt
scaphandrier, souvent les deux ensemble comme il
convient dans notre partie : j'habite en l'air par
habitude et je fouine en bas sans trop d'espoir.

Il fallut pourtant me parler des auteurs. Mon
grand-père le fit avec tact, sans chaleur. Il m'apprit
le nom de ces hommes illustres; seul, je m'en réci-
tais la liste, de Hésiode à Hugo, sans une faute :
c'étaient les Saints et les Prophètes. Charles
Schweitzer leur vouait, disait-il, un culte. Ils le
dérangeaient pourtant : leur présence importune
l'empêchait d'attribuer directement au Saint-Esprit
les œuvres de l'Homme. Aussi nourrissait-il une
préférence secrète pour les anonymes, pour les
bâtisseurs qui avaient eu la modestie de s'effacer
devant leurs cathédrales, pour l'auteur innom-
brable des chansons populaires. Il ne détestait pas
Shakespeare, dont l'identité n'était pas établie.
Ni Homère, pour le même motif. Ni quelques
autres dont on n'était pas tout à fait sûr qu'ils
eussent existé. A ceux qui n'avaient pas voulu ou
su effacer les traces de leur vie il trouvait des
excuses à condition qu'ils fussent morts. Mais il
condamnait en bloc ses contemporains à l'exception
d'Anatole France et de Courteline qui l'égayait.
Charles Schweitzer jouissait fièrement de la consi-
dération qu'on témoignait à son grand âge, à sa
culture, à sa beauté, à ses vertus, ce luthérien ne
se défendait pas de penser, très bibliquement, que
l'Eternel avait béni sa Maison. A table, il se
recueillait parfois pour prendre une vue cavalière
sur sa vie et conclure : « Mes enfants, comme il
est bon de ne rien avoir à se reprocher. » Ses

emportements, sa majesté, son orgueil et son goût
du sublime couvraient une timidité d'esprit qui lui
venait de sa religion, de son siècle et de l'Université, son milieu. Par cette raison il éprouvait une
répugnance secrète pour les monstres sacrés de sa
bibliothèque, gens de sac et de corde dont il tenait,
au fond de soi, les livres pour des incongruités.
Je m'y trompais : la réserve qui paraissait sous un
enthousiasme de commande, je la prenais pour la
sévérité d'un juge; son sacerdoce l'élevait au-dessus
d'eux. De toute manière, me soufflait le ministre
du culte, le génie n'est qu'un prêt : il faut le
mériter par de grandes souffrances, par des
épreuves modestement, fermement traversées; on
finit par entendre des voix et l'on écrit sous la
dictée. Entre la première révolution russe et le
premier conflit mondial, quinze ans après la mort
de Mallarmé, au moment que Daniel de Fon-
tanin découvrait *Les Nourritures terrestres,* un
homme du xixᵉ siècle imposait à son petit-fils les
idées en cours sous Louis-Philippe. Ainsi, dit-on,
s'expliquent les routines paysannes : les pères vont
aux champs, laissant les fils aux mains des grands-
parents. Je prenais le départ avec un handicap de
quatre-vingts ans. Faut-il m'en plaindre? Je ne
sais pas : dans nos sociétés en mouvement les
retards donnent quelquefois de l'avance. Quoi qu'il
en soit, on m'a jeté cet os à ronger et je l'ai si bien
travaillé que je vois le jour au travers. Mon grand-
père avait souhaité me dégoûter sournoisement
des écrivains, ces intermédiaires. Il obtint le
résultat contraire : je confondis le talent et le
mérite. Ces braves gens me ressemblaient : quand

j'étais bien sage, quand j'endurais vaillamment mes
bobos, j'avais droit à des lauriers, à une récompense; c'était l'enfance. Karl Schweitzer me
montrait d'autres enfants, comme moi surveillés,
éprouvés, récompensés, qui avaient su garder toute
leur vie mon âge. Sans frère ni sœur et sans camarades, je fis d'eux mes premiers amis. Ils avaient
aimé, souffert avec rigueur, comme les héros de
leurs romans, et surtout avaient bien fini; j'évo-
quais leurs tourments avec un attendrissement un
peu gai : comme ils devaient être contents, les
gars, quand ils se sentaient bien malheureux; ils
se disaient : « Quelle chance! un beau vers va
naître! »

A mes yeux, ils n'étaient pas morts, enfin, pas
tout à fait : ils s'étaient métamorphosés en livres.
Corneille, c'était un gros rougeaud, rugueux, au dos
de cuir, qui sentait la colle. Ce personnage incom-
mode et sévère, aux paroles difficiles, avait des
angles qui me blessaient les cuisses quand je le
transportais. Mais, à peine ouvert, il m'offrait ses
gravures, sombres et douces comme des confidences.
Flaubert, c'était un petit entoilé, inodore, piqueté
de taches de son. Victor Hugo le multiple nichait
sur tous les rayons à la fois. Voilà pour les corps;
quant aux âmes, elles hantaient les œuvres : les
pages, c'étaient des fenêtres, du dehors un visage
se collait contre la vitre, quelqu'un m'épiait; je
feignais de ne rien remarquer, je continuais ma
lecture, les yeux rivés aux mots sous le regard fixe
de feu Chateaubriand. Ces inquiétudes ne duraient
pas; le reste du temps, j'adorais mes compagnons
de jeu. Je les mis au-dessus de tout et l'on me

raconta sans m'étonner que Charles Quint avait
ramassé le pinceau du Titien : la belle affaire! un
prince est fait pour cela. Pourtant, je ne les respectais pas : pourquoi les eussé-je loués d'être
grands? Ils ne faisaient que leur devoir. Je blâmais
les autres d'être petits. Bref j'avais tout compris
de travers et je faisais de l'exception la règle :
l'espèce humaine devint un comité restreint qu'entouraient des animaux affectueux. Surtout mon
grand-père en usait trop mal avec eux pour que
je pusse les prendre au sérieux tout à fait. Il avait
cessé de lire depuis la mort de Victor Hugo; quand
il n'avait rien d'autre à faire, il relisait. Mais son
office était de traduire. Dans la vérité de son cœur,
l'auteur du *Deutsches Lesebuch* tenait la littérature
universelle pour son matériau. Du bout des lèvres,
il classait les auteurs par ordre de mérite, mais
cette hiérarchie de façade cachait mal ses préférences qui étaient utilitaires : Maupassant four-
nissait aux élèves allemands les meilleures versions;
Gœthe, battant d'une tête Gottfried Keller, était
inégalable pour les thèmes. Humaniste, mon grand-
père tenait les romans en petite estime; professeur,
il les prisait fort à cause du vocabulaire. Il finit par
ne plus supporter que les morceaux choisis et je
l'ai vu, quelques années plus tard, se délecter d'un
extrait de *Madame Bovary* prélevé par Mironneau
pour ses *Lectures,* quand Flaubert au complet
attendait depuis vingt ans son bon plaisir. Je
sentais qu'il vivait des morts, ce qui n'allait pas
sans compliquer mes rapports avec eux : sous prétexte de leur rendre un culte, il les tenait dans ses
chaînes et ne se privait pas de les découper en

tranches pour les transporter d'une langue à l'autre
plus commodément. Je découvris en même temps
leur grandeur et leur misère. Mérimée, pour son
malheur, convenait au Cours Moyen; en consé-
quence il menait double vie : au quatrième étage
de la bibliothèque, Colomba c'était une fraîche
colombe aux cent ailes, glacée, offerte et systématiquement ignorée; nul regard ne la déflora jamais.
Mais, sur le rayon du bas, cette même vierge
s'emprisonnait dans un sale petit bouquin brun et
puant; l'histoire ni la langue n'avaient changé,
mais il y avait des notes en allemand et un lexique;
j'appris en outre, scandale inégalé depuis le viol
de l'Alsace-Lorraine, qu'on l'avait édité à Berlin.
Ce livre-là, mon grand-père le mettait deux fois la
semaine dans sa serviette, il l'avait couvert de
taches, de traits rouges, de brûlures et je le détestais : c'était Mérimée humilié. Rien qu'à l'ouvrir,
je mourais d'ennui : chaque syllabe se détachait
sous ma vue comme elle faisait, à l'Institut, dans
la bouche de mon grand-père. Imprimés en Allemagne, pour être lus par des Allemands, qu'étaient-
ils, d'ailleurs, ces signes connus et méconnaissables,
sinon la contrefaçon des mots français? Encore une
affaire d'espionnage : il eût suffi de gratter pour
découvrir, sous leur travestissement gaulois, les
vocables germaniques aux aguets. Je finis par me
demander s'il n'y avait pas deux Colomba, l'une
farouche et vraie, l'autre fausse et didactique,
comme il y a deux Yseut.

Les tribulations de mes petits camarades me
convainquirent que j'étais leur pair. Je n'avais ni
leurs dons ni leurs mérites et je n'envisageais pas

encore d'écrire mais, petit-fils de prêtre, je l'emportais sur eux par la naissance; sans aucun doute
j'étais voué : non point à leurs martyres toujours
un peu scandaleux mais à quelque sacerdoce; je
serais sentinelle de la culture, comme Charles
Schweitzer. Et puis, j'étais vivant, moi, et fort
actif : je ne savais pas encore tronçonner les morts
mais je leur imposais mes caprices : je les prenais
dans mes bras, je les portais, je les déposais sur le
parquet, je les ouvrais, je les refermais, je les tirais
du néant pour les y replonger : c'étaient mes
poupées, ces hommes-troncs, et j'avais pitié de cette
misérable survie paralysée qu'on appelait leur
immortalité. Mon grand-père encourageait ces
familiarités : tous les enfants sont inspirés, ils ne
peuvent rien envier aux poètes qui sont tout bonne-
ment des enfants. Je raffolais de Courteline, je
poursuivais la cuisinière jusque dans sa cuisine
pour lui lire à haute voix *Théodore cherche des
allumettes*. On s'amusa de mon engouement, des
soins attentifs le développèrent, en firent une
passion publiée. Un beau jour mon grand-père me
dit négligemment : «Courteline doit être bon
bougre. Si tu l'aimes tant, pourquoi ne lui écris-tu
pas?» J'écrivis. Charles Schweitzer guida ma
plume et décida de laisser plusieurs fautes d'orthographe dans ma lettre. Des journaux l'ont repro-
duite, il y a quelques années, et je ne l'ai pas relue
sans agacement. Je prenais congé sur ces mots
«votre futur ami» qui me semblaient tout naturels : j'avais pour familiers Voltaire et Corneille;
comment un écrivain *vivant* eût-il refusé mon
amitié? Courteline la refusa et fit bien : en répon-

dant au petit-fils, il fût tombé sur le grand-père. A l'époque, nous jugeâmes sévèrement son silence : « J'admets, dit Charles, qu'il ait beaucoup de travail mais, quand le diable y serait, on répond à un enfant. »

Aujourd'hui encore, ce vice mineur me reste, la familiarité. Je les traite en Labadens, ces illustres défunts; sur Baudelaire, sur Flaubert je m'exprime sans détours et quand on m'en blâme, j'ai toujours envie de répondre : « Ne vous mêlez pas de nos affaires. Ils m'ont appartenu, vos génies, je les ai tenus dans mes mains, aimés à la passion, en toute irrévérence. Vais-je prendre des gants avec eux? » Mais l'humanisme de Karl, cet humanisme de prélat, je m'en suis débarrassé du jour où j'ai compris que tout homme est tout l'homme. Comme elles sont tristes, les guérisons : le langage est désenchanté; les héros de la plume, mes anciens pairs, dépouillés de leurs privilèges, sont rentrés dans le rang : je porte deux fois leur deuil.

Ce que je viens d'écrire est faux. Vrai. Ni vrai ni faux comme tout ce qu'on écrit sur les fous, sur les hommes. J'ai rapporté les faits avec autant d'exactitude que ma mémoire le permettait. Mais jusqu'à quel point croyais-je à mon délire? C'est la question fondamentale et pourtant je n'en décide pas. J'ai vu par la suite qu'on pouvait tout connaître de nos affections hormis leur force, c'est-à-dire leur sincérité. Les actes eux-mêmes ne serviront pas d'étalon à moins qu'on n'ait prouvé qu'ils ne sont pas des gestes, ce qui n'est pas toujours facile. Voyez plutôt : seul au milieu des adultes, j'étais un adulte en miniature, et j'avais

des lectures adultes; cela sonne faux, déjà, puisque,
dans le même instant, je demeurais un enfant. Je
ne prétends pas que je fusse coupable : c'était
ainsi, voilà tout; n'empêche que mes explorations
et mes chasses faisaient partie de la Comédie familiale, qu'on s'en enchantait, que je le savais : oui,
je le savais, chaque jour, un enfant merveilleux
réveillait les grimoires que son grand-père ne lisait
plus. Je vivais au-dessus de mon âge comme on vit
au-dessus de ses moyens : avec zèle, avec fatigue,
coûteusement, pour la montre. A peine avais-je
poussé la porte de la bibliothèque, je me retrouvais
dans le ventre d'un vieillard inerte : le grand
bureau, le sous-main, les taches d'encre, rouges et
noires, sur le buvard rose, la règle, le pot de colle,
l'odeur croupie du tabac, et, en hiver, le rougeoie-
ment de la Salamandre, les claquements du mica,
c'était Karl en personne, réifié : il n'en fallait pas
plus pour me mettre en état de grâce, je courais
aux livres. Sincèrement? Qu'est-ce que cela veut
dire? Comment pourrais-je fixer — après tant
d'années, surtout — l'insaisissable et mouvante
frontière qui sépare la possession du cabotinage?
Je me couchais sur le ventre, face aux fenêtres, un
livre ouvert devant moi, un verre d'eau rougie à
ma droite, à ma gauche, sur une assiette, une tar-
tine de confiture. Jusque dans la solitude j'étais
en représentation : Anne-Marie, Karlémami avaient
tourné ces pages bien avant que je fusse né, c'était
leur savoir qui s'étalait à mes yeux; le soir, on
m'interrogerait : « Qu'as-tu lu? qu'as-tu compris? »,
je le savais, j'étais en gésine, j'accoucherais
d'un mot d'enfant; fuir les grandes personnes

dans la lecture, c'était le meilleur moyen de
communier avec elles; absentes, leur regard futur
entrait en moi par l'occiput, ressortait par les pru-
nelles, fléchait à ras du sol ces phrases cent fois
lues que je lisais pour la première fois. Vu, je me
voyais : je me voyais lire comme on s'écoute parler.
Avais-je tant changé depuis le temps où je feignais
de déchiffrer « le Chinois en Chine » avant de
connaître l'alphabet? Non : le jeu continuait.
Derrière moi, la porte s'ouvrait, on venait voir « ce
que je fabriquais » : je truquais, je me relevais
d'un bond, je remettais Musset à sa place et j'allais
aussitôt, dressé sur la pointe des pieds, les bras
levés, prendre le pesant Corneille; on mesurait ma
passion à mes efforts, j'entendais, derrière moi, une
voix éblouie chuchoter : « Mais c'est qu'il *aime*
Corneille! » Je ne l'aimais pas : les alexandrins me
rebutaient. Par chance l'éditeur n'avait publié
in extenso que les tragédies les plus célèbres; des
autres il donnait le titre et l'argument analytique :
c'est ce qui m'intéressait : « Rodelinde, femme de
Pertharite, roi des Lombards et vaincu par Gri-
moald, est pressée par Unulphe de donner sa main
au prince étranger... » Je connus Rodogune, Théodore, Agésilas avant le Cid, avant Cinna; je
m'emplissais la bouche de noms sonores, le cœur
de sentiments sublimes et j'avais souci de ne pas
m'égarer dans les liens de parenté. On disait aussi :
« Ce petit a la soif de s'instruire; il dévore le
Larousse! » et je laissais dire. Mais je ne m'ins-
truisais guère : j'avais découvert que le dictionnaire
contenait des résumés de pièces et de romans; je
m'en délectais.

J'aimais plaire et je voulais prendre des bains de
culture : je me rechargeais de sacré tous les jours.
Distraitement parfois : il suffisait de me prosterner
et de tourner les pages; les œuvres de mes petits
amis me servirent fréquemment de moulins à
prière. En même temps, j'eus des effrois et des
plaisirs *pour de bon*; il m'arrivait d'oublier mon
rôle et de filer à tombeau ouvert, emporté par une
folle baleine qui n'était autre que le monde. Allez
conclure! En tout cas mon regard travaillait les
mots : il fallait les essayer, décider de leur sens;
la Comédie de la culture, à la longue, me cultivait.

Je faisais pourtant de *vraies* lectures : hors du
sanctuaire, dans notre chambre ou sous la table
de la salle à manger; de celles-là je ne parlais à
personne, personne, sauf ma mère, ne m'en parlait.
Anne-Marie avait pris au sérieux mes emportements truqués. Elle s'ouvrit à Mamie de ses inquiétudes. Ma grand-mère fut une alliée sûre :
« Charles n'est pas raisonnable, dit-elle. C'est lui
qui pousse le petit, je l'ai vu faire. Nous serons
bien avancés quand cet enfant se sera desséché. »
Les deux femmes évoquèrent aussi le surmenage et
la méningite. Il eût été dangereux et vain d'atta-
quer mon grand-père de front : elles biaisèrent.
Au cours d'une de nos promenades, Anne-Marie
s'arrêta comme par hasard devant le kiosque qui
se trouve encore à l'angle du boulevard Saint-
Michel et de la rue Soufflot : je vis des images
merveilleuses, leurs couleurs criardes me fasci-
nèrent, je les réclamai, je les obtins; le tour était
joué : je voulus avoir toutes les semaines *Cri-Cri*,
L'Epatant, *Les Vacances*, *Les Trois Boy-scouts* de

Jean de la Hire et *Le Tour du Monde en Aéroplane*,
d'Arnould Galopin qui paraissaient en fascicules
le jeudi. D'un jeudi à l'autre je pensais à l'Aigle
des Andes, à Marcel Dunot, le boxeur aux poings
de fer, à Christian l'aviateur beaucoup plus qu'à
mes amis Rabelais et Vigny. Ma mère se mit en
quête d'ouvrages qui me rendissent à mon enfance :
il y eut « les petits livres roses » d'abord, recueils
mensuels de contes de fées puis, peu à peu, *Les
Enfants du Capitaine Grant, Le Dernier des Mohicans, Nicolas Nickleby, Les Cinq Sous de Lavarède.*
A Jules Verne, trop pondéré, je préférai les extra-
vagances de Paul d'Ivoi. Mais, quel que fût l'auteur,
j'adorais les ouvrages de la collection Hetzel, petits
théâtres dont la couverture rouge à glands d'or
figurait le rideau : la poussière de soleil, sur les
tranches, c'était la rampe. Je dois à ces boîtes
magiques — et non aux phrases balancées de
Chateaubriand — mes premières rencontres avec
la Beauté. Quand je les ouvrais j'oubliais tout :
était-ce lire? Non, mais mourir d'extase : de mon
abolition naissaient aussitôt des indigènes munis de
sagaies, la brousse, un explorateur casqué de blanc.
J'étais *vision,* j'inondais de lumière les belles joues
sombres d'Aouda, les favoris de Philéas Fogg. Déli-
vrée d'elle-même enfin, la petite merveille se
laissait devenir pur émerveillement. A cinquante centimètres du plancher naissait un bonheur
sans maître ni collier, parfait. Le Nouveau Monde
semblait d'abord plus inquiétant que l'Ancien :
on y pillait, on y tuait; le sang coulait à flots. Des
Indiens, des Hindous, des Mohicans, des Hottentots
ravissaient la jeune fille, ligotaient son vieux père

et se promettaient de le faire périr dans les plus
atroces supplices. C'était le Mal pur. Mais il
n'apparaissait que pour se prosterner devant le
Bien : au chapitre suivant, tout serait rétabli. Des
Blancs courageux feraient une hécatombe de sauvages, trancheraient les liens du père qui se jetterait
dans les bras de sa fille. Seuls les méchants mouraient — et quelques bons très secondaires dont le
décès figurait parmi les faux frais de l'histoire.
Du reste la mort elle-même était aseptisée : on
tombait les bras en croix, avec un petit trou rond
sous le sein gauche ou, si le fusil n'était pas encore
inventé, les coupables étaient « passés au fil de
l'épée ». J'aimais cette jolie tournure : j'imaginais
cet éclair droit et blanc, la lame; elle s'enfonçait
comme dans du beurre et ressortait par le dos du
hors-la-loi, qui s'écroulait sans perdre une goutte
de sang. Parfois le trépas était même risible : tel
celui de ce Sarrasin qui, dans *La Filleule de
Roland*, je crois, jetait son cheval contre celui
d'un croisé; le paladin lui déchargeait sur la tête
un bon coup de sabre qui le fendait de haut en
bas; une illustration de Gustave Doré représentait
cette péripétie. Que c'était plaisant! Les deux moi-
tiés du corps, séparées, commençaient de choir en
décrivant chacune un demi-cercle autour d'un
étrier; étonné, le cheval se cabrait. Pendant plusieurs années je ne pus voir la gravure sans rire
aux larmes. Enfin je tenais ce qu'il me fallait :
l'Ennemi, haïssable, mais, somme toute, inoffensif
puisque ses projets n'aboutissaient pas et même,
en dépit de ses efforts et de son astuce diabolique,
servaient la cause du Bien; je constatais, en effet,

que le retour à l'ordre s'accompagnait toujours
d'un progrès : les héros étaient récompensés, ils
recevaient des honneurs, des marques d'admiration,
de l'argent; grâce à leur intrépidité, un territoire
était conquis, un objet d'art soustrait aux indigènes
et transporté dans nos musées; la jeune fille s'épre-
nait de l'explorateur qui lui avait sauvé la vie,
tout finissait par un mariage. De ces magazines et
de ces livres j'ai tiré ma fantasmagorie la plus
intime : l'optimisme.

Ces lectures restèrent longtemps clandestines;
Anne-Marie n'eut pas même besoin de m'avertir :
conscient de leur indignité je n'en soufflai pas mot
à mon grand-père. Je m'encanaillais, je prenais des
libertés, je passais des vacances au bordel mais je
n'oubliais pas que ma vérité était restée au temple.
A quoi bon scandaliser le prêtre par le récit de
mes égarements? Karl finit par me surprendre; il
se fâcha contre les deux femmes et celles-ci, pro-
fitant d'un moment qu'il reprenait haleine, mirent
tout sur mon dos : j'avais vu les magazines, les
romans d'aventures, je les avais convoités, réclamés,
pouvaient-elles me les refuser? Cet habile mensonge mettait mon grand-père au pied du mur :
c'était moi, moi seul qui trompais Colomba avec
ces ribaudes trop maquillées. Moi, l'enfant prophétique, la jeune Pythonisse, l'Eliacin des Belles-
Lettres, je manifestais un penchant furieux pour
l'infamie. A lui de choisir : ou je ne prophétisais
point ou l'on devait respecter mes goûts sans chercher à les comprendre. Père, Charles Schweitzer
eût tout brûlé; grand-père, il choisit l'indulgence
navrée. Je n'en demandais pas plus et je continuai

paisiblement ma double vie. Elle n'a jamais cessé :
aujourd'hui encore, je lis plus volontiers les « Série
Noire » que Wittgenstein.

J'étais le premier, l'incomparable dans mon île
aérienne; je tombai au dernier rang quand on me
soumit aux règles communes.

Mon grand-père avait décidé de m'inscrire au
Lycée Montaigne. Un matin, il m'emmena chez le
proviseur et lui vanta mes mérites : je n'avais que
le défaut d'être *trop* avancé pour mon âge. Le
proviseur donna les mains à tout : on me fit entrer
en huitième et je pus croire que j'allais fréquenter
les enfants de mon âge. Mais non : après la première dictée, mon grand-père fut convoqué en hâte
par l'administration; il revint enragé, tira de sa
serviette un méchant papier couvert de gribouillis,
de taches et le jeta sur la table : c'était la copie
que j'avais remise. On avait attiré son attention
sur l'orthographe — « le lapen çovache ême le
ten [1] », — et tenté de lui faire comprendre que
ma place était en dixième préparatoire. Devant
« lapen çovache » ma mère prit le fou rire; mon
grand-père l'arrêta d'un regard terrible. Il commença par m'accuser de mauvaise volonté et par
me gronder pour la première fois de ma vie, puis
il déclara qu'on m'avait méconnu; dès le lendemain, il me retirait du lycée et se brouillait avec le
proviseur.

1. Le lapin sauvage aime le thym.

Je n'avais rien compris à cette affaire et mon échec
ne m'avait pas affecté : j'étais un enfant prodige
qui ne savait pas l'orthographe, voilà tout. Et puis,
je retrouvai sans ennui ma solitude : j'aimais mon
mal. J'avais perdu, sans même y prendre garde,
l'occasion de devenir vrai : on chargea M. Liévin,
un instituteur parisien, de me donner des leçons
particulières; il venait presque tous les jours. Mon
grand-père m'avait acheté un petit bureau per-
sonnel, fait d'un banc et d'un pupitre de bois blanc.
Je m'asseyais sur le banc et M. Liévin se promenait
en dictant. Il ressemblait à Vincent Auriol et mon
grand-père prétendait qu'il était Frère-Trois-
Points; « quand je lui dis bonjour, nous disait-il
avec la répugnance apeurée d'un honnête homme
en butte aux avances d'un pédéraste, il trace avec
son pouce le triangle maçonnique sur la paume de
ma main ». Je le détestais parce qu'il oubliait de
me choyer : je crois qu'il me prenait non sans
raison pour un enfant retardé. Il disparut, je ne
sais plus pourquoi : peut-être s'était-il ouvert à
quelqu'un de son opinion sur moi.

Nous passâmes quelque temps à Arcachon et je
fus à l'école communale : les principes démocra-
tiques de mon grand-père l'exigeaient. Mais il
voulait aussi qu'on m'y tînt à l'écart du vulgaire.
Il me recommanda en ces termes à l'instituteur :
« Mon cher collègue, je vous confie ce que j'ai de
plus cher. » M. Barrault portait une barbiche et
un pince-nez : il vint boire du vin de muscat dans
notre villa et se déclara flatté de la confiance que
lui témoignait un membre de l'enseignement secondaire. Il me faisait asseoir à un pupitre spécial, à

côté de la chaire, et, pendant les récréations, me gardait à ses côtés. Ce traitement de faveur me semblait légitime; ce qu'en pensaient les « fils du peuple », mes égaux, je l'ignore : je crois qu'ils s'en foutaient. Moi, leur turbulence me fatiguait et je trouvais distingué de m'ennuyer auprès de M. Barrault pendant qu'ils jouaient aux barres.

J'avais deux raisons de respecter mon instituteur : il me voulait du bien, il avait l'haleine forte. Les grandes personnes doivent être laides, ridées, incommodes; quand elles me prenaient dans leurs bras, il ne me déplaisait pas d'avoir un léger dégoût à surmonter : c'était la preuve que la vertu n'était pas facile. Il y avait des joies simples, triviales : courir, sauter, manger des gâteaux, embrasser la peau douce et parfumée de ma mère; mais j'attachais plus de prix aux plaisirs studieux et mêlés que j'éprouvais dans la compagnie des hommes mûrs : la répulsion qu'ils m'inspiraient faisait partie de leur prestige : je confondais le dégoût avec l'esprit de sérieux. J'étais snob. Quand M. Barrault se penchait sur moi, son souffle m'infligeait des gênes exquises, je respirais avec zèle l'odeur ingrate de ses vertus. Un jour, je découvris une inscription toute fraîche sur le mur de l'Ecole, je m'approchai et lus : « Le père Barrault est un con. » Mon cœur battit à se rompre, la stupeur me cloua sur place, j'avais peur. « Con », ça ne pouvait être qu'un de ces « vilains mots » qui grouillaient dans les bas-fonds du vocabulaire et qu'un enfant bien élevé ne rencontre jamais; court et brutal, il avait l'horrible simplicité des

bêtes élémentaires. C'était déjà trop de l'avoir lu :
je m'interdis de le prononcer, fût-ce à voix basse.
Ce cafard accroché à la muraille, je ne voulais pas
qu'il me sautât dans la bouche pour se métamor-
phoser au fond de ma gorge en un claironnement
noir. Si je faisais semblant de ne pas l'avoir
remarqué, peut-être rentrerait-il dans un trou de
mur. Mais, quand je détournais mon regard, c'était
pour retrouver l'appellation infâme : « le père
Barrault » qui m'épouvantait plus encore : le mot
« con », après tout, je ne faisais qu'en augurer le
sens ; mais je savais très bien qui on appelait « père
Untel » dans ma famille : les jardiniers, les facteurs, le père de la bonne, bref les vieux pauvres.
Quelqu'un voyait M. Barrault, l'instituteur, le
collègue de mon grand-père, sous l'aspect d'un
vieux pauvre. Quelque part, dans une tête, rôdait
cette pensée malade et criminelle. Dans quelle
tête ? Dans la mienne, peut-être. Ne suffisait-il pas
d'avoir lu l'inscription blasphématoire pour être
complice d'un sacrilège ? Il me semblait à la fois
qu'un fou cruel raillait ma politesse, mon respect,
mon zèle, le plaisir que j'avais chaque matin à ôter
ma casquette en disant « Bonjour, Monsieur l'Instituteur » et que j'étais moi-même ce fou, que les
vilains mots et les vilaines pensées pullulaient dans
mon cœur. Qu'est-ce qui m'empêchait, par exemple,
de crier à plein gosier : « Ce vieux sagouin pue
comme un cochon. » Je murmurai : « Le père Barrault pue » et tout se mit à tourner : je m'enfuis
en pleurant. Dès le lendemain je retrouvai ma
déférence pour M. Barrault, pour son col de cellu-
loïd et son nœud papillon. Mais, quand il s'incli-

nait sur mon cahier, je détournais la tête en retenant mon souffle.

L'automne suivant, ma mère prit le parti de me conduire à l'Institution Poupon. Il fallait monter un escalier de bois, pénétrer dans une salle du premier étage; les enfants se groupaient en demi-cercle, silencieusement; assises au fond de la pièce, droites et le dos au mur, les mères surveillaient le professeur. Le premier devoir des pauvres filles qui nous enseignaient, c'était de répartir également les éloges et les bons points à notre académie de pro-diges. Si l'une d'elles avait un mouvement d'impa-tience ou se montrait trop satisfaite d'une bonne réponse, les Demoiselles Poupon perdaient des élèves, elle perdait sa place. Nous étions bien trente académiciens qui n'eûmes jamais le temps de nous adresser la parole. A la sortie, chacune des mères s'emparait farouchement du sien et l'empor-tait au galop, sans saluer. Au bout d'un semestre, ma mère me retira du cours : on n'y travaillait guère et puis elle avait fini par se lasser de sentir peser sur elle le regard de ses voisines quand c'était mon tour d'être félicité. Mlle Marie-Louise, une jeune fille blonde, avec un pince-nez, qui professait huit heures par jour au cours Poupon pour un salaire de famine, accepta de me donner des leçons particulières à domicile, en se cachant des direc-trices. Elle interrompait parfois les dictées pour soulager son cœur de gros soupirs : elle me disait qu'elle était lasse à mourir, qu'elle vivait dans une solitude affreuse, qu'elle eût tout donné pour avoir un mari, n'importe lequel. Elle finit, elle aussi, par disparaître : on prétendait qu'elle ne m'apprenait

rien, mais je crois surtout que mon grand-père la
trouvait calamiteuse. Cet homme juste ne refusait
pas de soulager les misérables mais répugnait à les
inviter sous son toit. Il était temps : Mlle Marie-
Louise me démoralisait. Je croyais les salaires pro-
portionnés au mérite et on me disait qu'elle était
méritante : pourquoi donc la payait-on si mal?
Quand on exerçait un métier, on était digne et fier,
heureux de travailler : puisqu'elle avait la chance
de travailler huit heures par jour, pourquoi par-
lait-elle de sa vie comme d'un mal incurable?
Quand je rapportais ses doléances, mon grand-père
se mettait à rire : elle était bien trop laide pour
qu'un homme voulût d'elle. Je ne riais pas : on
pouvait naître condamné? En ce cas on m'avait
menti : l'ordre du monde cachait d'intolérables
désordres. Mon malaise se dissipa dès qu'on l'eût
écartée. Charles Schweitzer me trouva des professeurs plus décents. Si décents que je les ai tous
oubliés. Jusqu'à dix ans, je restai seul entre un
vieillard et deux femmes.

Ma vérité, mon caractère et mon nom étaient aux
mains des adultes; j'avais appris à me voir par
leurs yeux; j'étais un enfant, ce monstre qu'ils
fabriquent avec leurs regrets. Absents, ils laissaient
derrière eux leur regard, mêlé à la lumière; je
courais, je sautais à travers ce regard qui me conser-
vait ma nature de petit-fils modèle, qui continuait
à m'offrir mes jouets et l'univers. Dans mon joli
bocal, dans mon âme, mes pensées tournaient,

chacun pouvait suivre leur manège : pas un coin
d'ombre. Pourtant, sans mots, sans forme ni consistance, diluée dans cette innocente transparence,
une transparente certitude gâchait tout : j'étais un
imposteur. Comment jouer la comédie sans savoir
qu'on la joue? Elles se dénonçaient d'elles-mêmes,
les claires apparences ensoleillées qui composaient
mon personnage : par un défaut d'être que je ne
pouvais ni tout à fait comprendre ni cesser de ressentir. Je me tournais vers les grandes personnes,
je leur demandais de garantir mes mérites : c'était
m'enfoncer dans l'imposture. Condamné à plaire,
je me donnais des grâces qui se fanaient sur
l'heure; je traînais partout ma fausse bonhomie,
mon importance désœuvrée, à l'affût d'une chance
nouvelle : je croyais la saisir, je me jetais dans une
attitude et j'y retrouvais l'inconsistance que je voulais fuir. Mon grand-père somnolait, enveloppé
dans son plaid; sous sa moustache broussailleuse,
j'apercevais la nudité rose de ses lèvres, c'était
insupportable : heureusement, ses lunettes glissaient, je me précipitais pour les ramasser. Il
s'éveillait, m'enlevait dans ses bras, nous filions
notre grande scène d'amour : ce n'était plus ce que
j'avais voulu. Qu'avais-je voulu? J'oubliais tout, je
faisais mon nid dans les buissons de sa barbe.
J'entrais à la cuisine, je déclarais que je voulais
secouer la salade; c'étaient des cris, des fous rires :
« Non, mon chéri, pas comme ça! Serre bien fort
ta petite main : voilà! Marie, aidez-le! Mais c'est
qu'il fait ça très bien. » J'étais un faux enfant, je
tenais un faux panier à salade; je sentais mes actes
se changer en gestes. La Comédie me dérobait le

monde et les hommes : je ne voyais que des rôles et des accessoires; servant par bouffonnerie les entreprises des adultes, comment eussé-je pris au sérieux leurs soucis? Je me prêtais à leurs desseins avec un empressement vertueux qui me retenait de partager leurs fins. Etranger aux besoins, aux espoirs, aux plaisirs de l'espèce, je me dilapidais froidement pour la séduire; elle était mon public, une rampe de feu me séparait d'elle, me rejetait dans un exil orgueilleux qui tournait vite à l'angoisse.

Le pis, c'est que je soupçonnais les adultes de cabotinage. Les mots qu'ils m'adressaient, c'étaient des bonbons; mais ils parlaient entre eux sur un tout autre ton. Et puis il leur arrivait de rompre des contrats sacrés : je faisais ma moue la plus adorable, celle dont j'étais le plus sûr et on me disait d'une voix vraie : « Va jouer plus loin, petit, nous causons. » D'autres fois, j'avais le sentiment qu'on se servait de moi. Ma mère m'emmenait au Luxembourg, l'oncle Emile, brouillé avec toute la famille, surgissait tout à coup; il regardait sa sœur d'un air morose et lui disait sèchement : « Ce n'est pas pour toi que je suis ici : c'est pour voir le petit. » Il expliquait alors que j'étais le seul innocent de la famille, le seul qui ne l'eût jamais offensé délibérément, ni condamné sur de faux rapports. Je souriais, gêné par ma puissance et par l'amour que j'avais allumé dans le cœur de cet homme sombre. Mais déjà, le frère et la sœur discutaient de leurs affaires, énuméraient leurs griefs réciproques; Emile s'emportait contre Charles, Anne-Marie le défendait, en cédant du terrain; ils

en venaient à parler de Louise, je restais entre
leurs chaises de fer, oublié. J'étais préparé à
admettre — si seulement j'eusse été en âge de les
comprendre — toutes les maximes de droite qu'un
vieil homme de gauche m'enseignait par ses
conduites : que la Vérité et la Fable sont une même
chose, qu'il faut jouer la passion pour la ressentir,
que l'homme est un être de cérémonie. On m'avait
persuadé que nous étions créés pour nous donner
la comédie; la comédie, je l'acceptais mais j'exi-
geais d'en être le principal personnage : or, à des
instants de foudre qui me laissaient anéanti, je
m'apercevais que j'y tenais un « faux-beau-rôle »,
avec du texte, beaucoup de présence, mais pas de
scène « à moi »; en un mot, que je donnais la
réplique aux grandes personnes. Charles me flattait pour amadouer sa mort; dans ma pétulance,
Louise trouvait la justification de ses bouderies;
Anne-Marie celle de son humilité. Et pourtant, sans
moi, ses parents eussent recueilli ma mère, sa déli-
catesse l'eût livrée sans défense à Mamie; sans
moi, Louise eût boudé, Charles se fût émerveillé
devant le mont Cervin, les météores ou les enfants
des autres. J'étais la cause occasionnelle de leurs
discordes et de leurs réconciliations; les causes
profondes étaient ailleurs : à Mâcon, à Gunsbach,
à Thiviers, dans un vieux cœur qui s'encras-
sait, dans un passé bien antérieur à ma naissance.
Je leur reflétais l'unité de la famille et ses antiques
contradictions; ils usaient de ma divine enfance
pour devenir ce qu'ils étaient. Je vécus dans le
malaise : au moment où leurs cérémonies me per-
suadaient que rien n'existe sans raison et que

chacun, du plus grand au plus petit, a sa place
marquée dans l'Univers, ma raison d'être, à moi,
se dérobait, je découvrais tout à coup que je comptais pour du beurre et j'avais honte de ma présence
insolite dans ce monde en ordre.

Un père m'eût lesté de quelques obstinations
durables; faisant de ses humeurs mes principes, de
son ignorance mon savoir, de ses rancœurs mon
orgueil, de ses manies ma loi, il m'eût habité; ce
respectable locataire m'eût donné du respect pour
moi-même. Sur le respect j'eusse fondé mon droit
de vivre. Mon géniteur eût décidé de mon avenir :
polytechnicien de naissance, j'eusse été rassuré
pour toujours. Mais si jamais Jean-Baptiste Sartre
avait connu ma destination, il en avait emporté le
secret; ma mère se rappelait seulement qu'il avait
dit : « Mon fils n'entrera pas dans la Marine. »
Faute de renseignements plus précis, personne, à
commencer par moi, ne savait ce que j'étais venu
foutre sur terre. M'eût-il laissé du bien, mon
enfance eût été changée; je n'écrirais pas puisque
je serais un autre. Les champs et la maison ren-
voient au jeune héritier une image stable de lui-
même; il se touche sur *son* gravier, sur les vitres
losangées de *sa* véranda et fait de leur inertie la
substance immortelle de son âme. Il y a quelques
jours, au restaurant, le fils du patron, un petit
garçon de sept ans, criait à la caissière : « Quand
mon père n'est pas là, c'est moi le Maître. » Voilà
un homme! A son âge, je n'étais maître de personne
et rien ne m'appartenait. Dans mes rares minutes
de dissipation, ma mère me chuchotait : « Prends
garde! Nous ne sommes pas chez nous! » Nous ne

fûmes jamais chez nous : ni rue Le Goff ni plus
tard, quand ma mère se fut remariée. Je n'en souf-
fris pas puisqu'on me prêtait tout; mais je restais
abstrait. Au propriétaire, les biens de ce monde
reflètent ce qu'il est; ils m'enseignaient ce que je
n'étais pas : *je n'étais pas* consistant ni permanent;
je n'étais pas le continuateur futur de l'œuvre
paternelle, *je n'étais pas* nécessaire à la production
de l'acier : en un mot je n'avais pas d'âme.

C'eût été parfait si j'avais fait bon ménage avec
mon corps. Mais nous formions, lui et moi, un drôle
de couple. Dans la misère, l'enfant ne s'interroge
pas : éprouvée *corporellement* par les besoins et
les maladies, son injustifiable condition justifie son
existence, c'est la faim, c'est le danger de mort perpétuel qui fondent son droit de vivre : il vit pour
ne pas mourir. Moi, je n'étais ni assez riche pour
me croire prédestiné ni assez pauvre pour ressentir
mes envies comme des exigences. Je remplissais
mes devoirs alimentaires et Dieu m'envoyait parfois — rarement — cette grâce qui permet de
manger sans dégoût — l'appétit. Respirant, digé-
rant, déféquant avec nonchalance, je vivais parce
que j'avais commencé de vivre. De mon corps, ce
compagnon gavé, j'ignorais la violence et les sauvages réclamations : il se faisait connaître par une
suite de malaises douillets, très sollicités par les
grandes personnes. A l'époque, une famille distin-
guée se devait de compter au moins un enfant
délicat. J'étais le bon sujet puisque j'avais pensé
mourir à ma naissance. On me guettait, on me prenait le pouls, la température, on m'obligeait à tirer
la langue : « Tu ne trouves pas qu'il est un peu

pâlot? » « C'est l'éclairage. » « Je t'assure qu'il a maigri! » « Mais, papa, nous l'avons pesé hier. » Sous ces regards inquisiteurs, je me sentais devenir un objet, une fleur en pot. Pour conclure, on me fourrait au lit. Suffoqué par la chaleur, mitonnant sous les draps, je confondais mon corps et son malaise : des deux, je ne savais plus lequel était indésirable.

M. Simonnot, collaborateur de mon grand-père, déjeunait avec nous, le jeudi. J'enviais ce quinquagénaire aux joues de fille qui cirait sa moustache et teignait son toupet : quand Anne-Marie lui demandait, pour faire durer la conversation, s'il aimait Bach, s'il se plaisait à la mer, à la montagne, s'il gardait bon souvenir de sa ville natale, il prenait le temps de la réflexion et dirigeait son regard intérieur sur le massif granitique de ses goûts. Quand il avait obtenu le renseignement demandé, il le communiquait à ma mère, d'une voix objective, en saluant de la tête. L'heureux homme! il devait, pensais-je, s'éveiller chaque matin dans la jubilation, recenser, de quelque Point Sublime, ses pics, ses crêtes et ses vallons, puis s'étirer voluptueusement en disant : « C'est bien moi : je suis M. Simonnot tout entier. » Naturellement j'étais fort capable, quand on m'interrogeait, de faire connaître mes préférences et même de les affirmer; mais, dans la solitude, elles m'échappaient : loin de les *constater,* il fallait les tenir et les pousser, leur insuffler la vie; je n'étais même plus sûr de préférer le filet de bœuf au rôti de veau. Que n'eussé-je donné pour qu'on installât en

moi un paysage tourmenté, des obstinations droites
comme des falaises. Quand Mme Picard, usant avec
tact du vocabulaire à la mode, disait de mon grand-
père : « Charles est un être exquis », ou bien « On
ne connaît pas les êtres », je me sentais condamné
sans recours. Les cailloux du Luxembourg,
M. Simonnot, les marronniers, Karlémami, c'étaient
des êtres. Pas moi : je n'en avais ni l'inertie ni la
profondeur ni l'impénétrabilité. J'étais *rien* : une
transparence ineffaçable. Ma jalousie ne connut
plus de bornes le jour où l'on m'apprit que
M. Simonnot, cette statue, ce bloc monolithique,
était par-dessus le marché indispensable à l'univers.

C'était fête. A l'Institut des Langues Vivantes,
la foule battait des mains sous la flamme mouvante
d'un bec Auer, ma mère jouait du Chopin, tout le
monde parlait français sur l'ordre de mon grand-
père : un français lent, guttural, avec des grâces
fanées et la pompe d'un oratorio. Je volais de main
en main sans toucher terre; j'étouffais contre le sein
d'une romancière allemande quand mon grand-
père, du haut de sa gloire, laissa tomber un verdict
qui me frappa au cœur : « Il y a quelqu'un qui
manque ici : c'est Simonnot. » Je m'échappai des
bras de la romancière, je me réfugiai dans un coin,
les invités disparurent; au centre d'un anneau
tumultueux, je vis une colonne : M. Simonnot lui-
même, absent en chair et en os. Cette absence prodigieuse le transfigura. Il s'en fallait de beaucoup
que l'Institut fût au complet : certains élèves
étaient malades, d'autres s'étaient fait excuser; mais
il ne s'agissait là que de faits accidentels et négli-
geables. Seul, M. Simonnot *manquait*. Il avait suffi

de prononcer son nom : dans cette salle bondée, le
vide s'était enfoncé comme un couteau. Je m'émer-
veillai qu'un homme eût sa place faite. Sa place :
un néant creusé par l'attente universelle, un ventre
invisible d'où, brusquement, il semblait qu'on pût
renaître. Pourtant, s'il était sorti de terre, au milieu
des ovations, si même les femmes s'étaient jetées
sur sa main pour la baiser, j'aurais été dégrisé : la
présence charnelle est toujours excédentaire.
Vierge, réduit à la pureté d'une essence négative,
il gardait la transparence incompressible du dia-
mant. Puisque c'était mon lot, à moi, d'être à
chaque instant situé parmi certaines personnes, en
un certain lieu de la terre et de m'y savoir superflu,
je voulus manquer comme l'eau, comme le pain,
comme l'air à tous les autres hommes dans tous
les autres lieux.

Ce souhait revint tous les jours sur mes lèvres.
Charles Schweitzer mettait de la nécessité partout
pour couvrir une détresse qui ne m'apparut jamais
tant qu'il vécut et que je commence seulement à
deviner. Tous ses collègues portaient le ciel. On
comptait, au nombre de ces Atlas, des grammairiens,
des philologues et des linguistes, M. Lyon-Caen et le
directeur de la *Revue Pédagogique*. Il parlait d'eux
sentencieusement pour nous faire mesurer leur
importance : « Lyon-Caen connaît son affaire. Sa
place était à l'Institut », ou encore : « Shurer se
fait vieux; espérons qu'on n'aura pas la sottise
de lui donner sa retraite : la Faculté ne sait pas
ce qu'elle perdrait. » Entouré de vieillards irrem-
plaçables dont la disparition prochaine allait
plonger l'Europe dans le deuil et peut-être

dans la barbarie, que n'eussé-je donné pour
entendre une voix fabuleuse porter sentence dans
mon cœur : « Ce petit Sartre connaît son affaire ;
s'il venait à disparaître, la France ne sait pas ce
qu'elle perdrait ! » L'enfance bourgeoise vit dans
l'éternité de l'instant, c'est-à-dire dans l'inaction :
je voulais être Atlas tout de suite, pour toujours
et depuis toujours, je ne concevais même pas qu'on
pût travailler à le devenir ; il me fallait une Cour
Suprême, un décret me rétablissant dans mes droits.
Mais où étaient les magistrats ? Mes juges naturels
s'étaient déconsidérés par leur cabotinage ; je les
récusais, mais je n'en voyais pas d'autres.

Vermine stupéfaite, sans foi, sans loi, sans raison
ni fin, je m'évadais dans la comédie familiale, tour-
nant, courant, volant d'imposture en imposture. Je
fuyais mon corps injustifiable et ses veules confidences ; que la toupie butât sur un obstacle et s'ar-
rêtât, le petit comédien hagard retombait dans la
stupeur animale. De bonnes amies dirent à ma
mère que j'étais triste, qu'on m'avait surpris à
rêver. Ma mère me serra contre elle en riant : « Toi
qui es si gai, toujours à chanter ! Et de quoi te
plaindrais-tu ? Tu as tout ce que tu veux. » Elle
avait raison : un enfant gâté n'est pas triste ; il
s'ennuie comme un roi. Comme un chien.

Je suis un chien : je bâille, les larmes roulent,
je les sens rouler. Je suis un arbre, le vent s'ac-
croche à mes branches et les agite vaguement. Je
suis une mouche, je grimpe le long d'une vitre, je
dégringole, je recommence à grimper. Quelquefois,
je sens la caresse du temps qui passe, d'autres fois
— le plus souvent — je le sens qui ne passe pas.

De tremblantes minutes s'affalent, m'engloutissent et n'en finissent pas d'agoniser; croupies mais encore vives, on les balaye, d'autres les remplacent, plus fraîches, tout aussi vaines; ces dégoûts s'appellent le bonheur; ma mère me répète que je suis le plus heureux des petits garçons. Comment ne la croirais-je pas *puisque c'est vrai?* A mon délaissement je ne pense jamais; d'abord il n'y a pas de mot pour le nommer; et puis je ne le vois pas : on ne cesse pas de m'entourer. C'est la trame de ma vie, l'étoffe de mes plaisirs, la chair de mes pensées.

Je vis la mort. A cinq ans : elle me guettait; le soir, elle rôdait sur le balcon, collait son mufle au carreau, je la voyais mais je n'osais rien dire. Quai Voltaire, une fois, nous la rencontrâmes, c'était une vieille dame grande et folle, vêtue de noir, elle marmonna sur mon passage : « Cet enfant, je le mettrai dans ma poche. » Une autre fois, elle prit la forme d'une excavation : c'était à Arcachon; Karlémami et ma mère rendaient visite à Mme Dupont et à son fils Gabriel, le compositeur. Je jouais dans le jardin de la villa, apeuré parce qu'on m'avait dit que Gabriel était malade et qu'il allait mourir. Je fis le cheval, sans entrain, et caracolai autour de la maison. Tout d'un coup, j'aperçus un trou de ténèbres : la cave, on l'avait ouverte; je ne sais trop quelle évidence de solitude et d'horreur m'aveugla : je fis demi-tour et, chantant à tue-tête, je m'enfuis. A cette époque, j'avais rendez-vous toutes les nuits avec elle dans mon lit. C'était un rite : il fallait que je me couche sur le côté gauche, le nez vers la ruelle; j'attendais, tout tremblant, et elle m'apparaissait, squelette très confor-

miste, avec une faux; j'avais alors la permission de
me retourner sur le côté droit, elle s'en allait, je
pouvais dormir tranquille. Dans la journée, je la
reconnaissais sous les déguisements les plus divers :
s'il arrivait à ma mère de chanter en français
Le Roi des Aulnes, je me bouchais les oreilles; pour
avoir lu *L'Ivrogne et sa femme* je restai six mois
sans ouvrir les fables de La Fontaine. Elle s'en
foutait, la gueuse : cachée dans un conte de Mérimée, *La Vénus d'Ille*, elle attendait que je le lusse
pour me sauter à la gorge. Les enterrements ne
m'inquiétaient pas ni les tombes; vers ce temps ma
grand-mère Sartre tomba malade et mourut; ma
mère et moi, nous arrivâmes à Thiviers, convoqués
par dépêche, quand elle vivait encore. On préféra
m'écarter des lieux où cette longue existence malheureuse achevait de se défaire; des amis se char-
gèrent de moi, me logèrent, on me donna pour
m'occuper des jeux de circonstance, instructifs, tout
endeuillés d'ennui. Je jouai, je lus, je mis mon zèle
à faire montre d'un recueillement exemplaire mais
je ne sentis rien. Rien non plus quand nous sui-
vîmes le corbillard jusqu'au cimetière. La Mort
brillait par son absence : décéder, ce n'était pas
mourir, la métamorphose de cette vieillarde en
dalle funéraire ne me déplaisait pas; il y avait
transsubstantiation, accession à l'être, tout se passait en somme comme si je m'étais transformé,
pompeusement, en M. Simonnot. Par cette raison
j'ai toujours aimé, j'aime encore les cimetières ita-
liens : la pierre y est tourmentée, c'est tout un
homme baroque, un médaillon s'y incruste, enca-
drant une photo qui rappelle le défunt dans son

premier état. Quand j'avais sept ans, la vraie Mort,
la Camarde, je la rencontrais partout, jamais là.
Qu'est-ce que c'était ? Une personne et une menace.
La personne était folle ; quant à la menace, voici :
des bouches d'ombre pouvaient s'ouvrir partout,
en plein jour, sous le plus radieux soleil et me
happer. Il y avait un envers horrible des choses,
quand on perdait la raison, on le voyait, mourir
c'était pousser la folie à l'extrême et s'y engloutir.
Je vécus dans la terreur, ce fut une authentique
névrose. Si j'en cherche la raison, il vient ceci :
enfant gâté, don providentiel, ma profonde inutilité
m'était d'autant plus manifeste que le rituel fami-
lial me parait constamment d'une nécessité forgée.
Je me sentais de trop, donc il fallait disparaître.
J'étais un épanouissement fade en instance perpétuelle d'abolition. En d'autres termes, j'étais
condamné, d'une seconde à l'autre on pouvait appli-
quer la sentence. Je la refusais, pourtant, de toutes
mes forces, non que mon existence me fût chère
mais, tout au contraire, parce que je n'y tenais pas :
plus absurde est la vie, moins supportable la mort.

Dieu m'aurait tiré de peine : j'aurais été chef-
d'œuvre signé ; assuré de tenir ma partie dans le
concert universel, j'aurais attendu patiemment qu'Il
me révélât ses desseins et ma nécessité. Je pressentais la religion, je l'espérais, c'était le remède.
Me l'eût-on refusée, je l'eusse inventée moi-même.
On ne me la refusait pas : élevé dans la foi catholique, j'appris que le Tout-Puissant m'avait fait
pour sa gloire : c'était plus que je n'osais rêver.
Mais, par la suite, dans le Dieu fashionable qu'on
m'enseigna, je ne reconnus pas celui qu'attendait

mon âme : il me fallait un Créateur, on me donnait
un Grand Patron; les deux n'étaient qu'un mais
je l'ignorais; je servais sans chaleur l'Idole phari-
sienne et la doctrine officielle me dégoûtait de
chercher ma propre foi. Quelle chance! Confiance
et désolation faisaient de mon âme un terrain de
choix pour y semer le ciel : sans cette méprise, je
serais moine. Mais ma famille avait été touchée par
le lent mouvement de déchristianisation qui naquit
dans la haute bourgeoisie voltairienne et prit un
siècle pour s'étendre à toutes les couches de la
Société : sans cet affaiblissement général de la foi,
Louise Guillemin, demoiselle catholique de pro-
vince, eût fait plus de manières pour épouser un
luthérien. Naturellement, tout le monde croyait,
chez nous : par discrétion. Sept ou huit ans
après le ministère Combes, l'incroyance déclarée
gardait la violence et le débraillé de la passion;
un athée, c'était un original, un furieux qu'on
n'invitait pas à dîner de peur qu'il ne « fît une
sortie », un fanatique encombré de tabous qui
se refusait le droit de s'agenouiller dans les
églises, d'y marier ses filles et d'y pleurer délicieusement, qui s'imposait de prouver la vérité de
sa doctrine par la pureté de ses mœurs, qui s'achar-
nait contre lui-même et contre son bonheur au
point de s'ôter le moyen de mourir consolé, un
maniaque de Dieu qui voyait partout Son absence
et qui ne pouvait ouvrir la bouche sans prononcer
Son nom, bref un Monsieur qui avait des convic-
tions religieuses. Le croyant n'en avait point :
depuis deux mille ans les certitudes chrétiennes
avaient eu le temps de faire leurs preuves, elles

appartenaient à tous, on leur demandait de briller dans le regard d'un prêtre, dans le demi-jour d'une église et d'éclairer les âmes mais nul n'avait besoin de les reprendre à son compte; c'était le patrimoine commun. La bonne Société croyait en Dieu pour ne pas parler de Lui. Comme la religion semblait tolérante! Comme elle était commode : le chrétien pouvait déserter la Messe et marier religieusement ses enfants, sourire des « bondieuseries » de Saint-Sulpice et verser des larmes en écoutant la *Marche Nuptiale de Lohengrin*; il n'était tenu ni de mener une vie exemplaire ni de mourir dans le désespoir, pas même de se faire crémer. Dans notre milieu, dans ma famille, la foi n'était qu'un nom d'apparat pour la douce liberté française; on m'avait baptisé, comme tant d'autres, pour préserver mon indépendance : en me refusant le baptême, on eût craint de violenter mon âme; catholique inscrit, j'étais libre, j'étais normal : « Plus tard, disait-on, il fera ce qu'il voudra. » On jugeait alors beaucoup plus difficile de gagner la foi que de la perdre.

Charles Schweitzer était trop comédien pour n'avoir pas besoin d'un Grand Spectateur mais il ne pensait guère à Dieu sauf dans les moments de pointe; sûr de Le retrouver à l'heure de la mort il le tenait à l'écart de sa vie. Dans le privé, par fidélité à nos provinces perdues, à la grosse gaîté des antipapistes, ses frères, il ne manquait pas une occasion de tourner le catholicisme en ridicule : ses propos de table ressemblaient à ceux de Luther. Sur Lourdes, il ne tarissait pas : Bernadette avait vu « une bonne femme qui changeait de chemise »; on avait plongé un paralytique dans la piscine et,

quand on l'en avait retiré, « il voyait des deux
yeux ». Il racontait la vie de saint Labre, couvert
de poux, celle de sainte Marie Alacoque, qui ramas-
sait les déjections des malades avec la langue. Ces
bourdes m'ont rendu service : j'inclinais d'autant
plus à m'élever au-dessus des biens de ce monde
que je n'en possédais aucun et j'aurais trouvé sans
peine ma vocation dans mon confortable dénue-
ment; le mysticisme convient aux personnes dépla-
cées, aux enfants surnuméraires : pour m'y préci-
piter, il aurait suffi de me présenter l'affaire par
l'autre bout; je risquais d'être une proie pour la
sainteté. Mon grand-père m'en a dégoûté pour toujours : je la vis par ses yeux, cette folie cruelle
m'écœura par la fadeur de ses extases, me terrifia
par son mépris sadique du corps; les excentricités
des Saints n'avaient guère plus de sens que celles
de l'Anglais qui plongea dans la mer en smoking.
En écoutant ces récits, ma grand-mère faisait
semblant de s'indigner, elle appelait son mari
« mécréant » et « parpaillot », elle lui donnait des
tapes sur les doigts mais l'indulgence de son sourire
achevait de me désabuser; elle ne croyait à rien;
seul, son scepticisme l'empêchait d'être athée. Ma
mère se gardait bien d'intervenir; elle avait « son
Dieu à elle » et ne lui demandait guère que de la
consoler en secret. Le débat se poursuivait dans
ma tête, affaibli : un autre moi-même, mon frère
noir, contestait languissamment tous les articles de
foi; j'étais catholique et protestant, je joignais
l'esprit critique à l'esprit de soumission. Dans le
fond, tout cela m'assommait : je fus conduit à l'incroyance non par le conflit des dogmes mais par

l'indifférence de mes grands-parents. Pourtant, je
croyais : en chemise, à genoux sur le lit, mains
jointes, je faisais tous les jours ma prière mais je
pensais au bon Dieu de moins en moins souvent.
Ma mère me conduisait le jeudi à l'Institution de
l'abbé Dibildos : j'y suivais un cours d'instruction
religieuse au milieu d'enfants inconnus. Mon grand-
père avait si bien fait que je tenais les curés pour
des bêtes curieuses; bien qu'ils fussent les ministres
de *ma* confession, ils m'étaient plus étrangers que
les pasteurs, à cause de leur robe et du célibat.
Charles Schweitzer respectait l'abbé Dibildos —
« un honnête homme! » — qu'il connaissait per-
sonnellement, mais son anticléricalisme était si
déclaré que je franchissais la porte cochère avec le
sentiment de pénétrer en territoire ennemi. Quant
à moi, je ne détestais pas les prêtres : ils prenaient pour me parler le visage tendre, massé
par la spiritualité, l'air de bienveillance émerveil-
lée, le regard infini que j'appréciais tout particu-
lièrement chez Mme Picard et d'autres vieilles
amies musiciennes de ma mère; c'était mon grand-
père qui les détestait par moi. Il avait eu, le premier, l'idée de me confier à son ami, l'abbé, mais
il dévisageait avec inquiétude le petit catholique
qu'on lui ramenait le jeudi soir, il cherchait dans
mes yeux le progrès du papisme et ne se privait
pas de me plaisanter. Cette situation fausse ne
dura pas plus de six mois. Un jour, je remis à l'ins-
tructeur une composition française sur la Passion;
elle avait fait les délices de ma famille et ma mère
l'avait recopiée de sa main. Elle n'obtint que la
médaille d'argent. Cette déception m'enfonça dans

l'impiété. Une maladie, les vacances m'empêchèrent de retourner à l'Institution Dibildos; à la rentrée, j'exigeai de n'y plus aller du tout. Pendant plusieurs années encore, j'entretins des relations publiques avec le Tout-Puissant; dans le privé, je cessai de le fréquenter. Une seule fois, j'eus le sentiment qu'Il existait. J'avais joué avec des allumettes et brûlé un petit tapis; j'étais en train de maquiller mon forfait quand soudain Dieu me vit, je sentis Son regard à l'intérieur de ma tête et sur mes mains; je tournoyai dans la salle de bains, horriblement visible, une cible vivante. L'indignation me sauva : je me mis en fureur contre une indiscrétion si grossière, je blasphémai, je murmurai comme mon grand-père : « Sacré nom de Dieu de nom de Dieu de nom de Dieu. » Il ne me regarda plus jamais.

Je viens de raconter l'histoire d'une vocation manquée : j'avais besoin de Dieu, on me le donna, je le reçus sans comprendre que je le cherchais. Faute de prendre racine en mon cœur, il a végété en moi quelque temps, puis il est mort. Aujourd'hui quand on me parle de Lui, je dis avec l'amusement sans regret d'un vieux beau qui rencontre une ancienne belle : « Il y a cinquante ans, sans ce malentendu, sans cette méprise, sans l'accident qui nous sépara, il aurait pu y avoir quelque chose entre nous. »

Il n'y eut rien. Pourtant mes affaires allaient de mal en pis. Mon grand-père s'agaçait de ma longue chevelure : « C'est un garçon, disait-il à ma mère, tu vas en faire une fille; je ne veux pas que mon petit-fils devienne une poule mouillée! » Anne-Marie tenait bon; elle eût aimé, je pense, que

je fusse une fille pour de vrai; avec quel bonheur
elle eût comblé de bienfaits sa triste enfance res-
suscitée. Le Ciel ne l'ayant pas exaucée, elle s'ar-
rangea : j'aurais le sexe des anges, indéterminé mais
féminin sur les bords. Tendre, elle m'apprit la tendresse; ma solitude fit le reste et m'écarta des jeux
violents. Un jour — j'avais sept ans — mon grand-
père n'y tint plus : il me prit par la main, annon-
çant qu'il m'emmenait en promenade. Mais, à peine
avions-nous tourné le coin de la rue, il me poussa
chez le coiffeur en me disant : « Nous allons faire
une surprise à ta mère. » J'adorais les surprises.
Il y en avait tout le temps chez nous. Cachotteries
amusées ou vertueuses, cadeaux inattendus, révélations théâtrales suivies d'embrassements : c'était
le ton de notre vie. Quand on m'avait ôté l'appen-
dice, ma mère n'en avait pas soufflé mot à Karl pour
lui éviter des angoisses qu'il n'eût, de toute
manière, pas ressenties. Mon oncle Auguste avait
donné l'argent; revenus clandestinement d'Arcachon, nous nous étions cachés dans une clinique de
Courbevoie. Le surlendemain de l'opération,
Auguste était venu voir mon grand-père : « Je vais,
lui avait-il dit, t'annoncer une bonne nouvelle. »
Karl fut trompé par l'affable solennité de cette
voix : « Tu te remaries! » « Non, répondit mon
oncle en souriant, mais tout s'est très bien passé. »
« Quoi, tout? », etc., etc. Bref les coups de théâtre
faisaient mon petit ordinaire et je regardai avec
bienveillance mes boucles rouler le long de la serviette blanche qui me serrait le cou et tomber sur
le plancher, inexplicablement ternies; je revins
glorieux et tondu.

Il y eut des cris mais pas d'embrassement et ma
mère s'enferma dans sa chambre pour pleurer :
on avait troqué sa fillette contre un garçonnet. Il y
avait pis : tant qu'elles voltigeaient autour de mes
oreilles, mes belles anglaises lui avaient permis de
refuser l'évidence de ma laideur. Déjà, pourtant,
mon œil droit entrait dans le crépuscule. Il fallut
qu'elle s'avouât la vérité. Mon grand-père semblait
lui-même tout interdit; on lui avait confié sa petite
merveille, il avait rendu un crapaud : c'était saper
à la base ses futurs émerveillements. Mamie le
regardait, amusée. Elle dit simplement : « Karl
n'est pas fier; il fait le dos rond. »

Anne-Marie eut la bonté de me cacher la cause
de son chagrin. Je ne l'appris qu'à douze ans, brutalement. Mais je me sentais mal dans ma peau. Les
amis de ma famille me jetaient des regards soucieux ou perplexes que je surprenais souvent. Mon
public devenait de jour en jour plus difficile; il
fallut me dépenser; j'appuyai mes effets et j'en vins
à jouer faux. Je connus les affres d'une actrice vieillissante : j'appris que d'autres pouvaient plaire.
Deux souvenirs me sont restés, un peu postérieurs
mais frappants.

J'avais neuf ans, il pleuvait; dans l'hôtel de
Noirétable, nous étions dix enfants, dix chats dans
le même sac; pour nous occuper, mon grand-père
consentit à écrire et à mettre en scène une pièce
patriotique à dix personnages. Bernard, l'aîné de
la bande, tint le rôle du père Struthoff, un bourru
bienfaisant. Je fus un jeune Alsacien : mon père
avait opté pour la France et je franchissais la frontière, secrètement, pour aller le rejoindre. On

m'avait ménagé des répliques de bravoure : j'éten-
dais le bras droit, j'inclinais la tête et je murmu-
rais, cachant ma joue de prélat dans le creux de
mon épaule : « Adieu, adieu, notre chère Alsace. »
On disait aux répétitions que j'étais à croquer; cela
ne m'étonnait pas. La représentation eut lieu au
jardin; deux massifs de fusains et le mur de l'hôtel
délimitaient la scène; on avait assis les parents sur
des chaises de rotin. Les enfants s'amusaient comme
des fous; sauf moi. Convaincu que le sort de la
pièce était entre mes mains, je m'appliquais à
plaire, par dévouement à la cause commune; je
croyais tous les yeux fixés sur moi. J'en fis trop;
les suffrages allèrent à Bernard, moins maniéré.
L'ai-je compris? A la fin de la représentation, il
faisait la quête : je me glissai derrière lui et tirai
sur sa barbe qui me resta dans la main. C'était une
boutade de vedette, juste pour faire rire; je me
sentais tout exquis et je sautais d'un pied sur
l'autre en brandissant mon trophée. On ne rit pas.
Ma mère me prit par la main et, vivement, m'éloigna : « Qu'est-ce qui t'a pris? me demanda-t-elle,
navrée. La barbe était si belle! Tout le monde a
poussé un « Oh! » de stupidité. » Déjà ma grand-
mère nous rejoignait avec les dernières nouvelles :
la mère de Bernard avait parlé de jalousie. « Tu
vois ce qu'on gagne à se mettre en avant! » Je
m'échappai, je courus à notre chambre, j'allai me
planter devant l'armoire à glace et je grimaçai
longtemps.

Mme Picard était d'avis qu'un enfant peut tout
lire : « Un livre ne fait jamais de mal quand il est
bien écrit. » En sa présence, j'avais autrefois

demandé la permission de lire *Madame Bovary* et
ma mère avait pris sa voix trop musicale : « Mais
si mon petit chéri lit ce genre de livres à son âge,
qu'est-ce qu'il fera quand il sera grand ? » — « Je
les vivrai ! » Cette réplique avait connu le succès
le plus franc et le plus durable. Chaque fois qu'elle
nous rendait visite, Mme Picard y faisait allusion
et ma mère s'écriait, grondeuse et flattée :
« Blanche ! Voulez-vous bien vous taire, vous allez
me le gâcher ! » J'aimais et je méprisais cette vieille
femme pâle et grasse, mon meilleur public ; quand
on m'annonçait sa venue, je me sentais du génie :
j'ai rêvé qu'elle perdait ses jupes et que je voyais
son derrière, ce qui était une façon de rendre hom-
mage à sa spiritualité. En novembre 1915, elle me
fit cadeau d'un livret de cuir rouge, doré sur
tranches. Nous étions installés, en l'absence de mon
grand-père, dans le cabinet de travail ; les femmes
parlaient avec animation, un ton plus bas qu'en
1914, parce que c'était la guerre, une sale brume
jaune se collait aux fenêtres, ça sentait le tabac
refroidi. J'ouvris le carnet et fus d'abord déçu :
j'espérais un roman, des contes ; sur des feuillets
multicolores, je lus vingt fois le même questionnaire. « Remplis-le, me dit-elle, et fais-le remplir
par tes petits amis : tu te prépareras de beaux souvenirs. » Je compris qu'on m'offrait une chance
d'être merveilleux : je tins à répondre sur l'heure,
je m'assis au bureau de mon grand-père, posai le
carnet sur le buvard de son sous-main, pris son
porte-plume à manche de galalithe, le plongeai dans
la bouteille d'encre rouge et me mis à écrire pendant que les grandes personnes échangeaient des

regards amusés. Je m'étais d'un bond perché plus
haut que mon âme pour faire la chasse aux
« réponses au-dessus de mon âge ». Malheureusement, le questionnaire n'aidait pas; on m'interrogeait sur mes goûts et mes dégoûts : quelle était ma
couleur préférée, mon parfum favori? J'inventais
sans entrain des prédilections, quand l'occasion de
briller se présenta : « Quel est votre vœu le plus
cher? » Je répondis sans hésiter : « Etre un soldat
et venger les morts. » Puis, trop excité pour pouvoir continuer, je sautai sur le sol et portai mon
œuvre aux grandes personnes. Les regards s'aigui-
sèrent, Mme Picard ajusta ses lunettes, ma mère
se pencha sur son épaule; l'une et l'autre avan-
çaient les lèvres avec malice. Les têtes se relevèrent
ensemble : ma mère avait rosi, Mme Picard me
rendit le livre : « Tu sais, mon petit ami, ce n'est
intéressant que si l'on est sincère. » Je crus mourir.
Mon erreur saute aux yeux : on réclamait l'enfant
prodige, j'avais donné l'enfant sublime. Pour mon
malheur, ces dames n'avaient personne au front :
le sublime militaire restait sans effet sur leurs
âmes modérées. Je disparus, j'allai grimacer
devant une glace. Quand je me les rappelle aujour-
d'hui, ces grimaces, je comprends qu'elles assu-
raient ma protection : contre les fulgurantes
décharges de la honte, je me défendais par un blo-
cage musculaire. Et puis, en portant à l'extrême
mon infortune, elles m'en délivraient : je me précipitais dans l'humilité pour esquiver l'humiliation,
je m'ôtais les moyens de plaire pour oublier que
je les avais eus et que j'en avais mésusé; le miroir
m'était d'un grand secours : je le chargeais de

m'apprendre que j'étais un monstre; s'il y parvenait, mes aigres remords se changeaient en pitié.
Mais, surtout, l'échec m'ayant découvert ma servi-
lité, je me faisais hideux pour la rendre impossible,
pour renier les hommes et pour qu'ils me
reniassent. La Comédie du Mal se jouait contre la
Comédie du Bien; Eliacin prenait le rôle de Quasi-
modo. Par torsion et plissement combinés, je
décomposais mon visage; je me vitriolais pour
effacer mes anciens sourires.

Le remède était pire que le mal : contre la gloire
et le déshonneur, j'avais tenté de me réfugier dans
ma vérité solitaire; mais je n'avais pas de vérité :
je ne trouvais en moi qu'une fadeur étonnée. Sous
mes yeux, une méduse heurtait la vitre de l'aqua-
rium, fronçait mollement sa collerette, s'effilochait
dans les ténèbres. La nuit tomba, des nuages d'encre
se diluèrent dans la glace, ensevelissant mon ultime
incarnation. Privé d'alibi, je m'affalai sur moi-
même. Dans le noir, je devinais une hésitation
indéfinie, un frôlement, des battements, toute une
bête vivante — la plus terrifiante et la seule dont
je ne pusse avoir peur. Je m'enfuis, j'allai
reprendre aux lumières mon rôle de chérubin
défraîchi. En vain. La glace m'avait appris ce que
je savais depuis toujours : j'étais horriblement
naturel. Je ne m'en suis jamais remis.

Idolâtré par tous, débouté de chacun, j'étais un
laissé-pour-compte et je n'avais, à sept ans, de
recours qu'en moi qui n'existais pas encore, palais

de glace désert où le siècle naissant mirait son
ennui. Je naquis pour combler le grand besoin que
j'avais de moi-même; je n'avais connu jusqu'alors
que les vanités d'un chien de salon; acculé à
l'orgueil, je devins l'Orgueilleux. Puisque personne
ne me revendiquait *sérieusement,* j'élevai la préten-
tion d'être indispensable à l'Univers. Quoi de plus
superbe? Quoi de plus sot? En vérité, je n'avais
pas le choix. Voyageur clandestin, je m'étais
endormi sur la banquette et le contrôleur me
secouait. « Votre billet! » Il me fallait reconnaître
que je n'en avais pas. Ni d'argent pour acquitter
sur place le prix du voyage. Je commençais par
plaider coupable : mes papiers d'identité, je les
avais oubliés chez moi, je ne me rappelais même
plus comment j'avais trompé la surveillance du
poinçonneur, mais j'admettais que je m'étais introduit frauduleusement dans le wagon. Loin de
contester l'autorité du contrôleur, je protestais hau-
tement de mon respect pour ses fonctions et je me
soumettais d'avance à sa décision. A ce point
extrême de l'humilité, je ne pouvais plus me sauver
qu'en renversant la situation : je révélais donc que
des raisons importantes et secrètes m'appelaient à
Dijon, qui intéressaient la France et peut-être
l'humanité. A prendre les choses sous ce nouveau
jour on n'aurait trouvé personne, dans tout le
convoi, qui eût autant que moi le droit d'y occuper
une place. Bien sûr il s'agissait d'une loi supérieure
qui contredisait le règlement mais, en prenant sur
lui d'interrompre mon voyage, le contrôleur provo-
querait de graves complications dont les conséquences retomberaient sur sa tête; je le conjurais

de réfléchir : était-il raisonnable de vouer l'espèce
entière au désordre sous prétexte de maintenir
l'ordre dans un train? Tel est l'orgueil : le plai-
doyer des misérables. Seuls ont le droit d'être
modestes les voyageurs munis de billets. Je ne
savais jamais si j'avais gain de cause : le contrôleur
gardait le silence; je recommençais mes explica-
tions; tant que je parlerais j'étais sûr qu'il ne
m'obligerait pas à descendre. Nous restions face à
face, l'un muet, l'autre intarissable, dans le train
qui nous emportait vers Dijon. Le train, le contrôleur et le délinquant, c'était moi. Et j'étais aussi
un quatrième personnage; celui-là, l'organisateur,
n'avait qu'un seul désir : se duper, fût-ce une
minute, oublier qu'il avait tout mis sur pied. La
comédie familiale me servit : on m'appelait don
du ciel, c'était pour rire et je ne l'ignorais pas;
gavé d'attendrissements, j'avais la larme facile et
le cœur dur : je voulus devenir un cadeau utile à
la recherche de ses destinataires; j'offris ma personne à la France, au monde. Les hommes, je m'en
foutais, mais, puisqu'il fallait en passer par eux,
leurs pleurs de joie me feraient savoir que l'univers
m'accueillait avec reconnaissance. On pensera que
j'avais beaucoup d'outrecuidance; non : j'étais
orphelin de père. Fils de personne, je fus ma
propre cause, comble d'orgueil et comble de
misère; j'avais été mis au monde par l'élan qui
me portait vers le bien. L'enchaînement paraît
clair : féminisé par la tendresse maternelle, affadi
par l'absence du rude Moïse qui m'avait engendré,
infatué par l'adoration de mon grand-père, j'étais
pur objet, voué par excellence au masochisme si

seulement j'avais pu croire à la comédie familiale.
Mais non; elle ne m'agitait qu'en surface et le fond
restait froid, injustifié; le système m'horrifia, je
pris en haine les pâmoisons heureuses, l'abandon,
ce corps trop caressé, trop bouchonné, je me trouvai
en m'opposant, je me jetai dans l'orgueil et le
sadisme, autrement dit dans la générosité. Celle-ci,
comme l'avarice ou le racisme, n'est qu'un baume
sécrété pour guérir nos plaies intérieures et qui
finit par nous empoisonner : pour échapper au
délaissement de la créature, je me préparais la plus
irrémédiable solitude bourgeoise : celle du créateur. On ne confondra pas ce coup de barre avec
une véritable révolte : on se rebelle contre un bourreau et je n'avais que des bienfaiteurs. Je restai
longtemps leur complice. Du reste, c'étaient eux
qui m'avaient baptisé don de la Providence : je ne
fis qu'employer à d'autres fins les instruments dont
je disposais.

Tout se passa dans ma tête; enfant imaginaire,
je me défendis par l'imagination. Quand je revois
ma vie, de six à neuf ans, je suis frappé par la
continuité de mes exercices spirituels. Ils changèrent souvent de contenu mais le programme ne
varia pas; j'avais fait une fausse entrée, je me
retirais derrière un paravent et recommençais ma
naissance à point nommé, dans la minute même où
l'univers me réclamait silencieusement.

Mes premières histoires ne furent que la répétition de l'Oiseau Bleu, du Chat Botté, des contes de
Maurice Bouchor. Elles se parlaient toutes seules,
derrière mon front, entre mes arcades sourcilières.
Plus tard, j'osai les retoucher, m'y donner un rôle.

Elles changèrent de nature; je n'aimais pas les
fées, il y en avait trop autour de moi : les prouesses
remplacèrent la féerie. Je devins un héros; je
dépouillai mes charmes; il n'était plus question de
plaire mais de s'imposer. J'abandonnai ma famille :
Karlémami, Anne-Marie furent exclus de mes fan-
taisies. Rassasié de gestes et d'attitudes, je fis de
vrais actes en rêve. J'inventai un univers difficile
et mortel — celui de Cri-Cri, de l'Epatant, de Paul
d'Ivoi; — à la place du besoin et du travail, que
j'ignorais, je mis le danger. Jamais je ne fus plus
éloigné de contester l'ordre établi : assuré d'habiter
le meilleur des mondes, je me donnai pour office
de le purger de ses monstres; flic et lyncheur, j'offrais en sacrifice une bande de brigands chaque soir.
Je ne fis jamais de guerre préventive ni d'expédi-
tion punitive; je tuais sans plaisir ni colère pour
arracher à la mort des jeunes filles. Ces frêles créatures m'étaient indispensables : elles me réclamaient. Il va de soi qu'elles ne pouvaient compter
sur mon aide puisqu'elles ne me connaissaient pas.
Mais je les jetais dans de si grands périls que personne ne les en eût sorties à moins d'être moi.
Quand les janissaires brandissaient leurs cimeterres
courbes, un gémissement parcourait le désert et les
rochers disaient au sable : « Il y a quelqu'un qui
manque ici : c'est Sartre. » A l'instant, j'écartais le
paravent, je faisais voler les têtes à coups de sabre,
je naissais dans un fleuve de sang. Bonheur d'acier!
J'étais à ma place.

Je naissais pour mourir : sauvée, l'enfant se jetait
dans les bras du margrave, son père; je m'éloignais,
il fallait redevenir superflu ou chercher de nou-

veaux assassins. J'en trouvais. Champion de l'ordre
établi, j'avais placé ma raison d'être dans un
désordre perpétué; j'étouffais le Mal dans mes bras,
je mourais de sa mort et ressuscitais de sa résurrection; j'étais un anarchiste de droite. Rien ne trans-
pira de ces bonnes violences; je restais servile et
zélé : on ne perd pas si facilement l'habitude de la
vertu; mais, chaque soir, j'attendais impatiemment
la fin de la bouffonnerie quotidienne, je courais à
mon lit, je boulais ma prière, je me glissais entre
mes draps; il me tardait de retrouver ma folle témé-
rité. Je vieillissais dans les ténèbres, je devenais un
adulte solitaire, sans père et sans mère, sans feu ni
lieu, presque sans nom. Je marchais sur un toit en
flammes, portant dans mes bras une femme éva-
nouie; au-dessous de moi, la foule criait : il était
manifeste que l'immeuble allait crouler. A cet instant je prononçais les mots fatidiques : « La suite
au prochain numéro » — « Qu'est-ce que tu dis? »
demandait ma mère. Je répondais prudemment :
« Je me laisse en suspens. » Et le fait est que je
m'endormais, au milieu des périls, dans une déli-
cieuse insécurité. Le lendemain soir, fidèle au
rendez-vous, je retrouvais mon toit, les flammes,
une mort certaine. Tout d'un coup, j'avisais
une gouttière que je n'avais pas remarquée la
veille. Sauvés, mon Dieu! Mais comment m'y
accrocher sans lâcher mon précieux fardeau?
Heureusement, la jeune femme reprenait ses sens,
je la chargeais sur mon dos, elle nouait ses bras
à mon cou. Non, à la réflexion, je la replongeais
dans l'inconscience : si peu qu'elle eût contribué à
son sauvetage, mon mérite en eût été diminué. Par

chance, il y avait cette corde à mes pieds : j'attachais solidement la victime à son sauveteur, le reste n'était qu'un jeu. Des Messieurs — le maire, le chef de la police, le capitaine des pompiers — me recevaient dans leurs bras, me donnaient des baisers, une médaille, je perdais mon assurance, je ne savais plus que faire de moi : les embrassements de ces hauts personnages ressemblaient trop à ceux de mon grand-père. J'effaçais tout, je recommençais : c'était la nuit, une jeune fille appelait au secours, je me jetais dans la mêlée... *La suite au prochain numéro.* Je risquais ma peau pour le moment sublime qui changerait une bête de hasard en passant providentiel mais je sentais que je ne survivrais pas à ma victoire et j'étais trop heureux de la remettre au lendemain.

On s'étonnera de rencontrer ces rêves de risque-tout chez un grimaud promis à la cléricature; les inquiétudes de l'enfance sont métaphysiques; pour les calmer point n'est besoin de verser le sang. N'ai-je donc jamais souhaité d'être un médecin héroïque et de sauver mes concitoyens de la peste bubonique ou du choléra? Jamais, je l'avoue. Pourtant je n'étais ni féroce ni guerrier et ce n'est pas ma faute si ce siècle naissant m'a fait épique. Battue, la France fourmillait de héros imaginaires dont les exploits pansaient son amour-propre. Huit ans avant ma naissance, Cyrano de Bergerac avait « éclaté comme une fanfare de pantalons rouges ». Un peu plus tard, l'Aiglon fier et meurtri n'avait eu qu'à paraître pour effacer Fachoda. En 1912, j'ignorais tout de ces hauts personnages mais j'étais en commerce constant avec leurs épigones : j'ado-

rais le Cyrano de la Pègre, Arsène Lupin, sans
savoir qu'il devait sa force herculéenne, son courage narquois, son intelligence bien française à
notre déculottée de 1870. L'agressivité nationale et
l'esprit de revanche faisaient de tous les enfants
des vengeurs. Je devins un vengeur comme tout le
monde : séduit par la gouaille, par le panache,
ces insupportablees défauts des vaincus, je raillais
les truands avant de leur casser les reins. Mais
les guerres m'ennuyaient, j'aimais les doux Allemands qui fréquentaient chez mon grand-père et
je ne m'intéressais qu'aux injustices privées; dans
mon cœur sans haine, les forces collectives se transformèrent : je les employais à alimenter mon
héroïsme individuel. N'importe; je suis marqué;
si j'ai commis, dans un siècle de fer, la folle bévue
de prendre la vie pour une épopée, c'est que je suis
un petit-fils de la défaite. Matérialiste convaincu,
mon idéalisme épique compensera jusqu'à ma mort
un affront que je n'ai pas subi, une honte dont je
n'ai pas souffert, la perte de deux provinces qui
nous sont revenues depuis longtemps.

   Les bourgeois du siècle dernier n'ont jamais
oublié leur première soirée au théâtre et leurs écrivains se sont chargés d'en rapporter les circonstances. Quand le rideau se leva, les enfants se
crurent à la cour. Les ors et les pourpres, les feux,
les fards, l'emphase et les artifices mettaient le
sacré jusque dans le crime; sur la scène ils virent
ressusciter la noblesse qu'avaient assassinée leurs

grands-pères. Aux entractes, l'étagement des gale-
ries leur offrait l'image de la société; on leur
montra, dans les loges, des épaules nues et des
nobles vivants. Ils rentrèrent chez eux, stupéfaits,
amollis, insidieusement préparés à des destins cérémonieux, à devenir Jules Favre, Jules Ferry, Jules
Grévy. Je défie mes contemporains de me citer la
date de leur première rencontre avec le cinéma.
Nous entrions à l'aveuglette dans un siècle sans
traditions qui devait trancher sur les autres par ses
mauvaises manières et le nouvel art, l'art roturier,
préfigurait notre barbarie. Né dans une caverne
de voleurs, rangé par administration au nombre
des divertissements forains, il avait des façons popu-
lacières qui scandalisaient les personnes sérieuses;
c'était le divertissement des femmes et des enfants;
nous l'adorions, ma mère et moi, mais nous n'y
pensions guère et nous n'en parlions jamais :
parle-t-on du pain s'il ne manque pas? Quand nous
nous avisâmes de son existence, il y avait beau
temps qu'il était devenu notre principal besoin.

Les jours de pluie, Anne-Marie me demandait
ce que je souhaitais faire, nous hésitions longuement entre le cirque, le Châtelet, la Maison Elec-
trique et le Musée Grévin; au dernier moment,
avec une négligence calculée, nous décidions d'entrer dans une salle de projection. Mon grand-père
paraissait à la porte de son bureau quand nous
ouvrions celle de l'appartement; il demandait :
« Où allez-vous, les enfants? » — « Au cinéma »,
disait ma mère. Il fronçait les sourcils et elle ajou-
tait très vite : « Au cinéma du Panthéon, c'est tout
à côté, il n'y a que la rue Soufflot à traverser. » Il

nous laissait partir en haussant les épaules; il dirait
le jeudi suivant à M. Simonnot : « Voyons, Simonnot, vous qui êtes un homme sérieux, comprenez-
vous ça? Ma fille mène mon petit-fils au cinéma! »
et M. Simonnot dirait d'une voix conciliante : « Je
n'y ai jamais été mais ma femme y va quelquefois. »

Le spectacle était commencé. Nous suivions
l'ouvreuse en trébuchant, je me sentais clandestin;
au-dessus de nos têtes, un faisceau de lumière
blanche traversait la salle, on y voyait danser des
poussières, des fumées; un piano hennissait, des
poires violettes luisaient au mur, j'étais pris à la
gorge par l'odeur vernie d'un désinfectant. L'odeur
et les fruits de cette nuit habitée se confondaient
en moi : je mangeais les lampes de secours, je
m'emplissais de leur goût acidulé. Je raclais mon
dos à des genoux, je m'asseyais sur un siège grin-
çant, ma mère glissait une couverture pliée sous
mes fesses pour me hausser; enfin je regardais
l'écran, je découvrais une craie fluorescente, des
paysages clignotants, rayés par des averses; il
pleuvait toujours, même au gros soleil, même dans
les appartements; parfois un astéroïde en flammes
traversait le salon d'une baronne sans qu'elle parût
s'en étonner. J'aimais cette pluie, cette inquiétude
sans repos qui travaillait la muraille. Le pianiste
attaquait l'ouverture des *Grottes de Fingal* et tout
le monde comprenait que le criminel allait
paraître : la baronne était folle de peur. Mais son
beau visage charbonneux cédait la place à une
pancarte mauve : « Fin de la première partie. »
C'était la désintoxication brusquée, la lumière. Où
étais-je? Dans une école? Dans une administration?

Pas le moindre ornement : des rangées de strapon-
tins qui laissaient voir, par en dessous, leurs
ressorts, des murs barbouillés d'ocre, un plancher
jonché de mégots et de crachats. Des rumeurs
touffues remplissaient la salle, on réinventait le
langage, l'ouvreuse vendait à la criée des bonbons
anglais, ma mère m'en achetait, je les mettais dans
ma bouche, je suçais les lampes de secours. Les
gens se frottaient les yeux, chacun découvrait ses
voisins. Des soldats, les bonnes du quartier; un
vieillard osseux chiquait, des ouvrières en cheveux
riaient très fort : tout ce monde n'était pas de notre
monde; heureusement, posés de loin en loin sur ce
parterre de têtes, de grands chapeaux palpitants
rassuraient.

A feu mon père, à mon grand-père, familiers
des deuxièmes balcons, la hiérarchie sociale du
théâtre avait donné le goût du cérémonial : quand
beaucoup d'hommes sont ensemble, il faut les
séparer par des rites ou bien ils se massacrent. Le
cinéma prouvait le contraire : plutôt que par une
fête, ce public si mêlé semblait réuni par une
catastrophe; morte, l'étiquette démasquait enfin le
véritable lien des hommes, l'adhérence. Je pris en
dégoût les cérémonies, j'adorai les foules; j'en ai
vu de toute sorte mais je n'ai retrouvé cette nudité,
cette présence sans recul de chacun à tous, ce rêve
éveillé, cette conscience obscure du danger d'être
homme qu'en 1940, dans le Stalag XII D.

Ma mère s'enhardit jusqu'à me conduire dans
les salles du Boulevard : au Kinérama, aux Folies
Dramatiques, au Vaudeville, au Gaumont Palace
qu'on nommait alors l'Hippodrome. Je vis *Zigomar*

et *Fantômas, Les Exploits de Maciste, Les Mystères de New-York* : les dorures me gâchaient le plaisir. Le Vaudeville, théâtre désaffecté, ne voulait pas abdiquer son ancienne grandeur : jusqu'à la dernière minute un rideau rouge à glands d'or masquait l'écran; on frappait trois coups pour annoncer le commencement de la représentation, l'orchestre jouait une ouverture, le rideau se levait, les lampes s'éteignaient. J'étais agacé par ce cérémonial incongru, par ces pompes poussiéreuses qui n'avaient d'autre résultat que d'éloigner les personnages; au balcon, au poulailler, frappés par le lustre, par les peintures du plafond, nos pères ne pouvaient ni ne voulaient croire que le théâtre leur appartenait : ils y étaient reçus. Moi, je voulais voir le film *au plus près*. Dans l'inconfort égalitaire des salles de quartier, j'avais appris que ce nouvel art était à moi, comme à tous. Nous étions du même âge mental : j'avais sept ans et je savais lire, il en avait douze et ne savait pas parler. On disait qu'il était à ses débuts, qu'il avait des progrès à faire; je pensais que nous grandirions ensemble. Je n'ai pas oublié notre enfance commune : quand on m'offre un bonbon anglais, quand une femme, près de moi, vernit ses ongles, quand je respire, dans les cabinets d'un hôtel provincial, une certaine odeur de désinfectant, quand, dans un train de nuit, je regarde au plafond la veilleuse violette, je retrouve dans mes yeux, dans mes narines, sur ma langue les lumières et les parfums de ces salles disparues; il y a quatre ans, au large des grottes de Fingal, par gros temps, j'entendais un piano dans le vent.

Inaccessible au sacré, j'adorais la magie : le cinéma, c'était une apparence suspecte que j'aimais perversement pour ce qui lui manquait encore. Ce ruissellement, c'était tout, ce n'était rien, c'était tout réduit à rien : j'assistais aux délires d'une muraille; on avait débarrassé les solides d'une massivité qui m'encombrait jusque dans mon corps et mon jeune idéalisme se réjouissait de cette contraction infinie; plus tard les translations et les rotations des triangles m'ont rappelé le glissement des figures sur l'écran, j'ai aimé le cinéma jusque dans la géométrie plane. Du noir et du blanc, je faisais des couleurs éminentes qui résumaient en elles toutes les autres et ne les révélaient qu'à l'initié; je m'enchantais de voir l'invisible. Par-dessus tout, j'aimais l'incurable mutisme de mes héros. Ou plutôt non : ils n'étaient pas muets puis-qu'ils savaient se faire comprendre. Nous commu-niquions par la musique, c'était le bruit de leur vie intérieure. L'innocence persécutée faisait mieux que dire ou montrer sa douleur, elle m'en impré-gnait par cette mélodie qui sortait d'elle; je lisais les conversations mais j'entendais l'espoir et l'amer-tume, je surprenais par l'oreille la douleur fière qui ne se déclare pas. J'étais compromis; *ce n'était pas moi*, cette jeune veuve qui pleurait sur l'écran et pourtant, nous n'avions, elle et moi, qu'une seule âme : la marche funèbre de Chopin; il n'en fallait pas plus pour que ses pleurs mouil-lassent mes yeux. Je me sentais prophète sans rien pouvoir prédire : avant même que le traître eût trahi, son forfait entrait en moi; quand tout sem-blait tranquille au château, des accords sinistres

dénonçaient la présence de l'assassin. Comme ils
étaient heureux, ces cow-boys, ces mousquetaires,
ces policiers : leur avenir était là, dans cette
musique prémonitoire, et gouvernait le présent. Un
chant ininterrompu se confondait avec leurs vies,
les entraînait vers la victoire ou vers la mort en
s'avançant vers sa propre fin. Ils étaient attendus,
eux : par la jeune fille en péril, par le général,
par le traître embusqué dans la forêt, par le camarade ligoté près d'un tonneau de poudre et qui
regardait tristement la flamme courir le long de la
mèche. La course de cette flamme, la lutte
désespérée de la vierge contre son ravisseur, la
galopade du héros dans la steppe, l'entrecroisement
de toutes ces images, de toutes ces vitesses et, par
en dessous, le mouvement infernal de la « Course
à l'Abîme », morceau d'orchestre tiré de la *Damna-
tion de Faust* et adapté pour le piano, tout cela ne
faisait qu'un : c'était la Destinée. Le héros mettait
pied à terre, éteignait la mèche, le traître se jetait
sur lui, un duel au couteau commençait : mais les
hasards de ce duel participaient eux-mêmes à la
rigueur du développement musical : c'était de faux
hasards qui dissimulaient mal l'ordre universel.
Quelle joie, quand le dernier coup de couteau
coïncidait avec le dernier accord! J'étais comblé,
j'avais trouvé le monde où je voulais vivre, je
touchais à l'absolu. Quel malaise, aussi, quand les
lampes se rallumaient : je m'étais déchiré d'amour
pour ces personnages et ils avaient disparu, rem-
portant leur monde; j'avais senti leur victoire dans
mes os, pourtant c'était la leur et non la mienne :
dans la rue, je me retrouvais surnuméraire.

Je décidai de perdre la parole et de vivre en
musique. J'en avais l'occasion chaque soir vers
cinq heures. Mon grand-père donnait ses cours à
l'Institut des Langues Vivantes; ma grand-mère,
retirée dans sa chambre, lisait du Gyp; ma mère
m'avait fait goûter, elle avait mis le dîner en train,
donné les derniers conseils à la bonne; elle
s'asseyait au piano et jouait les Ballades de Chopin,
une Sonate de Schumann, les variations sympho-
niques de Franck, parfois, sur ma demande, l'ouverture des *Grottes de Fingal*. Je me glissais dans le
bureau; il y faisait déjà sombre, deux bougies
brûlaient au piano. La pénombre me servait, je
saisissais la règle de mon grand-père, c'était ma
rapière, son coupe-papier, c'était ma dague; je
devenais sur-le-champ l'image plate d'un mousque-
taire. Parfois, l'inspiration se faisait attendre : pour
gagner du temps, je décidais, bretteur illustre,
qu'une importante affaire m'obligeait à garder
l'incognito. Je devais recevoir les coups sans les
rendre et mettre mon courage à feindre la lâcheté.
Je tournais dans la pièce, l'œil torve, la tête basse,
traînant les pieds; je marquais par un soubresaut
de temps à autre qu'on m'avait lancé une gifle ou
botté le derrière, mais je n'avais garde de réagir :
je notai le nom de mon insulteur. Prise à dose
massive, la musique agissait enfin. Comme un tam-
bour vaudou, le piano m'imposait son rythme. La
Fantaisie-Impromptu se substituait à mon âme, elle
m'habitait, me donnait un passé inconnu, un avenir
fulgurant et mortel; j'étais possédé, le démon
m'avait saisi et me secouait comme un prunier.
A cheval! J'étais cavale et cavalier; chevauchant

et chevauché, je traversais à fond de train des
landes, des guérets, le bureau, de la porte à la
fenêtre. « Tu fais trop de bruit, les voisins vont
se plaindre », disait ma mère sans cesser de jouer.
Je ne lui répondais pas puisque j'étais muet. J'avise
le duc, je mets pied à terre, je lui fais savoir par
les mouvements silencieux de mes lèvres que je le
tiens pour un bâtard. Il déchaîne ses reîtres, mes
moulinets me font un rempart d'acier; de temps
en temps je transperce une poitrine. Aussitôt, je
faisais volte-face, je devenais le Spadassin pour-
fendu, je tombais, je mourais sur le tapis. Puis, je
me retirais en douce du cadavre, je me relevais,
je reprenais mon rôle de chevalier errant. J'animais
tous les personnages : chevalier, je souffletais le
duc; je tournais sur moi-même; duc, je recevais le
soufflet. Mais je n'incarnais pas longtemps les
méchants, toujours impatient de revenir au grand
premier rôle, à moi-même. Invincible, je triom-
phais de tous. Mais, comme dans mes récits nocturnes, je renvoyais aux calendes mon triomphe
parce que j'avais peur du marasme qui suivrait.

Je protège une jeune comtesse contre le propre
frère du Roi. Quelle boucherie! Mais ma mère a
tourné la page; l'allegro fait place à un tendre
adagio; j'achève le carnage en vitesse, je souris à
ma protégée. Elle m'aime; c'est la musique qui le
dit. Et moi, je l'aime aussi, peut-être : un cœur
amoureux et lent s'installe en moi. Quand on aime,
que fait-on? Je lui prenais le bras, je la promenais
dans une prairie : cela ne pouvait suffire. Convoqués en hâte, les truands et les reîtres me tiraient
d'embarras : ils se jetaient sur nous, cent contre

un; j'en tuais quatre-vingt-dix, les dix autres enle-
vaient la comtesse.

C'est le moment d'entrer dans mes années sombres : la femme qui m'aime est captive, j'ai toutes
les polices du royaume à mes trousses, hors-la-loi,
traqué, misérable, il me reste ma conscience et mon
épée. J'arpentais le bureau d'un air abattu, je
m'emplissais de la tristesse passionnée de Chopin.
Quelquefois, je feuilletais ma vie, je sautais deux
ou trois ans pour m'assurer que tout finirait bien,
qu'on me rendrait mes titres, mes terres, une fiancée
presque intacte et que le Roi me demanderait
pardon. Mais aussitôt, je bondissais en arrière, je
retournais m'établir, deux ou trois ans plus tôt,
dans le malheur. Ce moment me charmait : la
fiction se confondait avec la vérité; vagabond
désolé, à la poursuite de la justice, je ressemblais
comme un frère à l'enfant désœuvré, embarrassé de
lui-même, en quête d'une raison de vivre, qui
rôdait en musique dans le bureau de son grand-
père. Sans abandonner le rôle, je profitais de la
ressemblance pour faire l'amalgame de nos destins :
rassuré sur la victoire finale, je voyais dans mes
tribulations le plus sûr chemin pour y parvenir;
à travers mon abjection, j'apercevais la gloire
future qui en était la véritable cause. La sonate de
Schumann achevait de me convaincre : j'étais la
créature qui désespère et le Dieu qui l'a sauvée
depuis le commencement du monde. Quelle joie de
pouvoir se désoler à blanc; j'avais le droit de
bouder l'univers. Las de succès trop faciles, je
goûtais les délices de la mélancolie, l'âcre plaisir
du ressentiment. Objet des soins les plus tendres,

gavé, sans désirs, je me précipitais dans un dénue-
ment imaginaire : huit ans de félicité n'avaient
abouti qu'à me donner le goût du martyre. Je
substituai à mes juges ordinaires, tous prévenus en
ma faveur, un tribunal rechigné, prêt à me
condamner sans m'entendre : je lui arracherais
l'acquittement, des félicitations, une récompense
exemplaire. J'avais lu vingt fois, dans la passion,
l'histoire de Grisélidis; pourtant je n'aimais pas
souffrir et mes premiers désirs furent cruels : le
défenseur de tant de princesses ne se gênait pas
pour fesser en esprit sa petite voisine de palier. Ce
qui me plaisait dans ce récit peu recommandable,
c'était le sadisme de la victime et cette inflexible
vertu qui finit par jeter à genoux le mari bourreau.
C'est cela que je voulais pour moi : agenouiller les
magistrats de force, les contraindre à me révérer
pour les punir de leurs préventions. Mais je
remettais chaque jour l'acquittement au lendemain; héros toujours futur, je languissais de désir
pour une consécration que je repoussais sans cesse.

Cette double mélancolie, ressentie et jouée, je
crois qu'elle traduisait ma déception : mes
prouesses, mises bout à bout, n'étaient qu'un cha-
pelet de hasards; quand ma mère avait plaqué les
derniers accords de la Fantaisie-Impromptu, je
retombais dans le temps sans mémoire des orphelins privés de père, des chevaliers errants privés
d'orphelins; héros ou écolier, faisant et refaisant
les mêmes dictées, les mêmes prouesses, je restais
enfermé dans cette geôle : la répétition. Pourtant
cela existait, l'avenir, le cinéma me l'avait révélé;
je rêvais d'avoir un destin. Les bouderies de Grisé-

lidis finirent par me lasser : j'avais beau repousser indéfiniment la minute historique de ma glorification, je n'en faisais pas un avenir véritable : ce n'était qu'un présent différé.

Ce fut vers ce moment — 1912 ou 1913 — que je lus *Michel Strogoff*. Je pleurai de joie : quelle vie exemplaire! Pour montrer sa valeur, cet officier n'avait pas besoin d'attendre le bon plaisir des brigands : un ordre d'en haut l'avait tiré de l'ombre, il vivait pour y obéir et mourait de son triomphe; car c'était une mort, cette gloire : tournée la dernière page du livre, Michel s'enfermait tout vif dans son petit cercueil doré sur tranches. Pas une inquiétude : il était justifié dès sa première apparition. Ni le moindre hasard : il est vrai qu'il se déplaçait continuellement mais de grands intérêts, son courage, la vigilance de l'ennemi, la nature du terrain, les moyens de communication, vingt autres facteurs, tous donnés d'avance, permettaient à chaque instant de marquer sa position sur la carte. Pas de répétitions : tout changeait, il fallait qu'il se changeât sans cesse; son avenir l'éclairait, il se guidait sur une étoile. Trois mois plus tard, je relus ce roman avec les mêmes transports; or je n'aimais pas Michel, je le trouvais trop sage : c'était son destin que je lui jalousais. J'adorais en lui, masqué, le chrétien qu'on m'avait empêché d'être. Le tsar de toutes les Russies, c'était Dieu le Père; suscité du néant par un décret singulier, Michel, chargé, comme toutes les créatures, d'une mission unique et capitale, traversait notre vallée de larmes, écartant les tentations et franchissant les obstacles, goûtait au mar-

tyre, bénéficiait d'un concours surnaturel [1], glorifiait
son Créateur puis, au terme de sa tâche, entrait
dans l'immortalité. Pour moi, ce livre fut du
poison : il y avait donc des élus? Les plus hautes
exigences leur traçaient la route? La sainteté me
répugnait : en Michel Strogoff, elle me fascina
parce qu'elle avait pris les dehors de l'héroïsme.

Pourtant je ne changeai rien à mes pantomimes
et l'idée de mission resta en l'air, fantôme incon-
sistant qui n'arrivait pas à prendre corps et dont
je ne pouvais me défaire. Bien entendu, mes
comparses, les rois de France, étaient à mes ordres
et n'attendaient qu'un signe pour me donner les
leurs. Je ne leur en demandai point. Si l'on risque
sa vie par obéissance, que devient la générosité?
Marcel Dunot, boxeur aux poings de fer, me sur-
prenait chaque semaine en faisant, gracieusement,
plus que son devoir; aveugle, couvert de plaies
glorieuses, c'est à peine si Michel Strogoff pouvait
dire qu'il avait fait le sien. J'admirais sa vaillance,
je réprouvais son humilité : ce brave n'avait que le
ciel au-dessus de sa tête; pourquoi la courbait-il
devant le tsar quand c'était au tsar de lui baiser
les pieds? Mais, à moins de s'abaisser, d'où pourrait-on tirer le mandat de vivre? Cette contra-
diction me fit tomber dans un profond embarras.
J'essayai quelquefois de détourner la difficulté :
enfant inconnu j'entendais parler d'une mission
dangereuse; j'allais me jeter aux pieds du roi, je
le suppliais de me la confier. Il refusait : j'étais
trop jeune, l'affaire était trop grave. Je me relevais,

---

1. Sauvé par le miracle d'une larme.

je provoquais en duel et je battais promptement
tous ses capitaines. Le souverain se rendait à l'évidence : « Va donc, puisque tu le veux! » Mais je
n'étais pas dupe de mon stratagème et je me
rendais bien compte que je m'étais imposé. Et puis,
tous ces magots me dégoûtaient : j'étais sans-culotte
et régicide, mon grand-père m'avait prévenu contre
les tyrans, qu'ils s'appelassent Louis XVI ou Badinguet. Surtout, je lisais tous les jours, dans *le Matin*,
le feuilleton de Michel Zévaco : cet auteur de
génie, sous l'influence de Hugo, avait inventé le
roman de cape et d'épée républicain. Ses héros
représentaient le peuple; ils faisaient et défaisaient
les empires, prédisaient dès le XIV° siècle la Révolution Française, protégeaient par bonté d'âme des
rois enfants ou des rois fous contre leurs ministres,
souffletaient les rois méchants. Le plus grand de
tous, Pardaillan, c'était mon maître : cent fois,
pour l'imiter, superbement campé sur mes jambes
de coq, j'ai giflé Henri III et Louis XIII. Allais-je
me mettre à leurs ordres, après cela? En un mot,
je ne pouvais ni tirer de moi le mandat impératif
qui aurait justifié ma présence sur cette terre ni
reconnaître à personne le droit de me le délivrer.
Je repris mes chevauchées, nonchalamment, je
languis dans la mêlée; massacreur distrait, martyr
indolent, je restai Grisélidis, faute d'un tsar, d'un
Dieu ou tout simplement d'un père.

   Je menais deux vies, toutes deux mensongères :
publiquement, j'étais un imposteur : le fameux
petit-fils du célèbre Charles Schweitzer; seul, je
m'enlisais dans une bouderie imaginaire. Je corri-
geais ma fausse gloire par un faux incognito. Je

n'avais aucune peine à passer de l'un à l'autre
rôle : à l'instant où j'allais pousser ma botte
secrète, la clé tournait dans la serrure, les mains
de ma mère, soudain paralysées, s'immobilisaient
sur les touches, je reposais la règle dans la bibliothèque et j'allais me jeter dans les bras de mon
grand-père, j'avançais son fauteuil, je lui apportais
ses chaussons fourrés et je l'interrogeais sur sa
journée, en appelant ses élèves par leur nom.
Quelle que fût la profondeur de mon rêve, jamais
je ne fus en danger de m'y perdre. Pourtant j'étais
menacé : ma vérité risquait fort de rester jusqu'au
bout l'alternance de mes mensonges.

Il y avait une autre vérité. Sur les terrasses du
Luxembourg, des enfants jouaient, je m'approchais
d'eux, ils me frôlaient sans me voir, je les regardais
avec des yeux de pauvre : comme ils étaient forts
et rapides! comme ils étaient beaux! Devant ces
héros de chair et d'os, je perdais mon intelligence
prodigieuse, mon savoir universel, ma musculature
athlétique, mon adresse spadassine; je m'accotais
à un arbre, j'attendais. Sur un mot du chef de la
bande, brutalement jeté : « Avance, Pardaillan,
c'est toi qui feras le prisonnier », j'aurais abandonné mes privilèges. Même un rôle muet m'eût
comblé; j'aurais accepté dans l'enthousiasme de
faire un blessé sur une civière, un mort. L'occasion
ne m'en fut pas donnée : j'avais rencontré mes
vrais juges, mes contemporains, mes pairs, et leur
indifférence me condamnait. Je n'en revenais pas
de me découvrir par eux : ni merveille ni méduse,
un gringalet qui n'intéressait personne. Ma mère
cachait mal son indignation : cette grande et belle

femme s'arrangeait fort bien de ma courte taille,
elle n'y voyait rien que de naturel : les Schweitzer
sont grands et les Sartre petits, je tenais de mon
père, voilà tout. Elle aimait que je fusse, à huit ans,
resté portatif et d'un maniement aisé : mon format
réduit passait à ses yeux pour un premier âge
prolongé. Mais, voyant que nul ne m'invitait à
jouer, elle poussait l'amour jusqu'à deviner que je
risquais de me prendre pour un nain — ce que je
ne suis pas tout à fait — et d'en souffrir. Pour me
sauver du désespoir elle feignait l'impatience :
« Qu'est-ce que tu attends, gros benêt? Demande-
leur s'ils veulent jouer avec toi. » Je secouais la
tête : j'aurais accepté les besognes les plus basses,
je mettais mon orgueil à ne pas les solliciter. Elle
désignait des dames qui tricotaient sur des fauteuils
de fer : « Veux-tu que je parle à leurs mamans? »
Je la suppliais de n'en rien faire; elle prenait ma
main, nous repartions, nous allions d'arbre en arbre
et de groupe en groupe, toujours implorants, toujours exclus. Au crépuscule, je retrouvais mon
perchoir, les hauts lieux où soufflait l'esprit, mes
songes : je me vengeais de mes déconvenues par
six mots d'enfant et le massacre de cent reîtres.
N'importe : ça ne tournait pas rond.

Je fus sauvé par mon grand-père : il me jeta
sans le vouloir dans une imposture nouvelle qui
changea ma vie.

II

Écrire

Charles Schweitzer ne s'était jamais pris pour un écrivain mais la langue française l'émerveillait encore, à soixante-dix ans, parce qu'il l'avait apprise difficilement et qu'elle ne lui appartenait pas tout à fait : il jouait avec elle, se plaisait aux mots, aimait à les prononcer et son impitoyable diction ne faisait pas grâce d'une syllabe; quand il avait le temps, sa plume les assortissait en bouquets. Il illustrait volontiers les événements de notre famille et de l'Université par des œuvres de circonstance : vœux de nouvel an, d'anniversaire, compliments aux repas de mariage, discours en vers pour la Saint-Charlemagne, saynètes, charades, bouts-rimés, banalités affables; dans les congrès, il improvisait des quatrains, en allemand et en français.

Au début de l'été nous partions pour Arcachon, les deux femmes et moi, avant que mon grand-père eût terminé ses cours. Il nous écrivait trois fois la semaine : deux pages pour Louise, un post-scriptum pour Anne-Marie, pour moi toute une lettre en vers. Pour me faire mieux goûter mon

bonheur ma mère apprit et m'enseigna les règles
de la prosodie. Quelqu'un me surprit à gribouiller
une réponse versifiée, on me pressa de l'achever,
on m'y aida. Quand les deux femmes envoyèrent la
lettre, elles rirent aux larmes en pensant à la
stupeur du destinataire. Par retour du courrier je
reçus un poème à ma gloire; j'y répondis par un
poème. L'habitude était prise, le grand-père et son
petit-fils s'étaient unis par un lien nouveau; ils se
parlaient, comme les Indiens, comme les maque-
reaux de Montmartre, dans une langue interdite
aux femmes. On m'offrit un dictionnaire de rimes,
je me fis versificateur : j'écrivais des madrigaux
pour Vévé, une petite fille blonde qui ne quittait
pas sa chaise longue et qui devait mourir quelques
années plus tard. La petite fille s'en foutait : c'était
un ange; mais l'admiration d'un large public me
consolait de cette indifférence. J'ai retrouvé quelques-uns de ces poèmes. Tous les enfants ont du
génie, sauf Minou Drouet, a dit Cocteau en 1955.
En 1912, ils en avaient tous sauf moi : j'écrivais
par singerie, par cérémonie, pour faire la grande
personne : j'écrivais surtout parce que j'étais le
petit-fils de Charles Schweitzer. On me donna les
fables de La Fontaine; elles me déplurent : l'auteur
en prenait à son aise; je décidai de les récrire en
alexandrins. L'entreprise dépassait mes forces et
je crus remarquer qu'elle faisait sourire : ce fut
ma dernière expérience poétique. Mais j'étais
lancé : je passai des vers à la prose et n'eus pas
la moindre peine à réinventer par écrit les aventures passionnantes que je lisais dans *Cri-Cri*. Il
était temps : j'allais découvrir l'inanité de mes

songes. Au cours de mes chevauchées fantastiques, c'était la réalité que je voulais atteindre. Quand ma mère me demandait, sans détourner les yeux de sa partition : « Poulou, qu'est-ce que tu fais? » il m'arrivait parfois de rompre mon vœu de silence et de lui répondre : « Je fais du cinéma. » En effet, j'essayais d'arracher les images de ma tête et de les *réaliser* hors de moi, entre de vrais meubles et de vrais murs, éclatantes et visibles autant que celles qui ruisselaient sur les écrans. Vainement; je ne pouvais plus ignorer ma double imposture : je feignais d'être un acteur feignant d'être un héros.

A peine eus-je commencé d'écrire, je posai ma plume pour jubiler. L'imposture était la même mais j'ai dit que je tenais les mots pour la quintessence des choses. Rien ne me troublait plus que de voir mes pattes de mouche échanger peu à peu leur luisance de feux follets contre la terne consistance de la matière : c'était la réalisation de l'imaginaire. Pris au piège de la nomination, un lion, un capitaine du Second Empire, un Bédouin s'introduisaient dans la salle à manger; ils y demeureraient à jamais captifs, incorporés par les signes; je crus avoir ancré mes rêves dans le monde par les grattements d'un bec d'acier. Je me fis donner un cahier, une bouteille d'encre violette, j'inscrivis sur la couverture : « Cahier de romans ». Le premier que je menai à bout, je l'intitulai : « Pour un papillon ». Un savant, sa fille, un jeune explorateur athlétique remontaient le cours de l'Amazone en quête d'un papillon précieux. L'argument, les personnages, le détail des aventures, le titre même, j'avais tout emprunté à un récit en images

paru le trimestre précédent. Ce plagiat délibéré
me délivrait de mes dernières inquiétudes : tout
était forcément vrai puisque je n'inventais rien.
Je n'ambitionnais pas d'être publié mais je m'étais
arrangé pour qu'on m'eût imprimé d'avance et je
ne traçais pas une ligne que mon modèle ne cau-
tionnât. Me tenais-je pour un copiste? Non. Mais
pour un auteur original : je retouchais, je rajeu-
nissais; par exemple, j'avais pris soin de changer
les noms des personnages. Ces légères altérations
m'autorisaient à confondre la mémoire et l'imagination. Neuves et tout écrites, des phrases se refor-
maient dans ma tête avec l'implacable sûreté qu'on
prête à l'inspiration. Je les transcrivais, elles
prenaient sous mes yeux la densité des choses. Si
l'auteur inspiré, comme on croit communément,
est autre que soi au plus profond de soi-même, j'ai
connu l'inspiration entre sept et huit ans.

Je ne fus jamais tout à fait dupe de cette « écriture automatique ». Mais le jeu me plaisait aussi
pour lui-même : fils unique, je pouvais y jouer
seul. Par moments, j'arrêtais ma main, je feignais
d'hésiter pour me sentir, front sourcilleux, regard
halluciné, *un écrivain.* J'adorais le plagiat, d'ailleurs, par snobisme et je le poussais délibérément
à l'extrême, comme on va voir.

Boussenard et Jules Verne ne perdent pas une
occasion d'instruire : aux instants les plus critiques,
ils coupent le fil du récit pour se lancer dans la
description d'une plante vénéneuse, d'un habitat
indigène. Lecteur, je sautais ces passages didac-
tiques; auteur, j'en bourrai mes romans; je prétendis enseigner à mes contemporains tout ce que

j'ignorais : les mœurs des Fuégiens, la flore africaine, le climat du désert. Séparés par un coup du sort puis embarqués sans le savoir sur le même navire et victimes du même naufrage, le collectionneur de papillons et sa fille s'accrochaient à la même bouée, levaient la tête, chacun jetait un cri : « Daisy! », « Papa! ». Hélas un squale rôdait en quête de chair fraîche, il s'approchait, son ventre brillait entre les vagues. Les malheureux échapperaient-ils à la mort? J'allais chercher le tome « Pr-Z » du Grand Larousse, je le portais péniblement jusqu'à mon pupitre, l'ouvrais à la bonne page et copiais mot pour mot en passant à la ligne : « Les requins sont communs dans l'Atlantique tropical. Ces grands poissons de mer très voraces atteignent jusqu'à treize mètres de long et pèsent jusqu'à huit tonnes... » Je prenais tout mon temps pour transcrire l'article : je me sentais délicieusement ennuyeux, aussi distingué que Boussenard et, n'ayant pas encore trouvé le moyen de sauver mes héros, je mijotais dans des transes exquises.

Tout destinait cette activité nouvelle à n'être qu'une singerie de plus. Ma mère me prodiguait les encouragements, elle introduisait les visiteurs dans la salle à manger pour qu'ils surprissent le jeune créateur à son pupitre d'écolier; je feignais d'être trop absorbé pour sentir la présence de mes admirateurs; ils se retiraient sur la pointe des pieds en murmurant que j'étais trop mignon, que c'était trop charmant. Mon oncle Emile me fit cadeau d'une petite machine à écrire dont je ne me servis pas, Mme Picard m'acheta une mappemonde pour

que je pusse fixer sans risque d'erreur l'itinéraire
de mes *globe-trotters*. Anne-Marie recopia mon
second roman *Le Marchand de bananes* sur du
papier glacé, on le fit circuler. Mamie elle-même
m'encourageait : « Au moins, disait-elle, il est sage,
il ne fait pas de bruit. » Par bonheur la consécration fut différée par le mécontentement de mon
grand-père.

Karl n'avait jamais admis ce qu'il appelait mes
« mauvaises lectures ». Quand ma mère lui annonça
que j'avais commencé d'écrire, il fut d'abord
enchanté, espérant, je suppose, une chronique de
notre famille avec des observations piquantes et
d'adorables naïvetés. Il prit mon cahier, le feuilleta,
fit la moue et quitta la salle à manger, outré de
retrouver sous ma plume les « bêtises » de mes
journaux favoris. Par la suite, il se désintéressa de
mon œuvre. Mortifiée, ma mère essaya plusieurs
fois de lui faire lire par surprise *Le Marchand de
bananes*. Elle attendait qu'il eût mis ses chaussons
et qu'il se fût assis dans son fauteuil; pendant qu'il
se reposait en silence, l'œil fixe et dur, les mains
sur les genoux, elle s'emparait de mon manuscrit,
le feuilletait distraitement puis, soudain captivée,
se mettait à rire toute seule. Pour finir, dans un
irrésistible emportement, elle le tendait à mon
grand-père : « Lis donc, papa! C'est *trop* drôle. »
Mais il écartait le cahier de la main ou bien, s'il
y donnait un coup d'œil, c'était pour relever avec
humeur mes fautes d'orthographe. A la longue ma
mère fut intimidée : n'osant plus me féliciter et
craignant de me faire de la peine, elle cessa de lire
mes écrits pour n'avoir plus à m'en parler.

A peine tolérées, passées sous silence, mes acti-
vités littéraires tombèrent dans une semi-clandesti-
nité; je les poursuivais, néanmoins, avec assiduité :
aux heures de récréation, le jeudi et le dimanche,
aux vacances et, quand j'avais la chance d'être
malade, dans mon lit; je me rappelle des convales-
cences heureuses, un cahier noir à tranche rouge
que je prenais et quittais comme une tapisserie.
Je fis moins de cinéma : mes romans me tenaient
lieu de tout. Bref, j'écrivis pour mon plaisir.

Mes intrigues se compliquèrent, j'y fis entrer les
épisodes les plus divers, je déversai toutes mes
lectures, les bonnes et les mauvaises, pêle-mêle,
dans ces fourre-tout. Les récits en souffrirent;
ce fut un gain, pourtant : il fallut inventer des
raccords, et, du coup, je devins un peu moins
plagiaire. Et puis, je me dédoublai. L'année précé-
dente, quand je « faisais du cinéma », je jouais
mon propre rôle, je me jetais à corps perdu dans
l'imaginaire et j'ai pensé plus d'une fois m'y
engouffrer tout entier. Auteur, le héros c'était
encore moi, je projetais en lui mes rêves épiques.
Nous étions deux, pourtant : il ne portait pas mon
nom et je ne parlais de lui qu'à la troisième personne. Au lieu de lui prêter mes gestes, je lui
façonnais par des mots un corps que je prétendis
voir. Cette « distanciation » soudaine aurait pu
m'effrayer : elle me charma; je me réjouis d'être
lui sans qu'il fût tout à fait moi. C'était ma poupée,
je le pliais à mes caprices, je pouvais le mettre
à l'épreuve, lui percer le flanc d'un coup de lance
et puis le soigner comme me soignait ma mère,
le guérir comme elle me guérissait. Mes auteurs

favoris, par un reste de vergogne, s'arrêtaient à
mi-chemin du sublime : même chez Zévaco jamais
preux ne défit plus de vingt truands à la fois. Je
voulus radicaliser le roman d'aventures, je jetai
par-dessus bord la vraisemblance, je décuplai les
ennemis, les dangers : pour sauver son futur beau-
père et sa fiancée, le jeune explorateur de *Pour un
papillon* lutta trois jours et trois nuits contre les
requins; à la fin la mer était rouge; le même,
blessé, s'évada d'un ranch assiégé par les Apaches,
traversa le désert en tenant ses tripes dans ses
mains, et refusa qu'on le recousît avant qu'il eût
parlé au général. Un peu plus tard, sous le nom de
Gœtz von Berlichingen, le même encore mit en
déroute une armée. Un contre tous : c'était ma
règle; qu'on cherche la source de cette rêverie
morne et grandiose dans l'individualisme bourgeois
et puritain de mon entourage.

Héros, je luttais contre les tyrannies; démiurge,
je me fis tyran moi-même, je connus toutes les
tentations du pouvoir. J'étais inoffensif, je devins
méchant. Qu'est-ce qui m'empêchait de crever les
yeux de Daisy? Mort de peur, je me répondais :
rien. Et je les lui crevais comme j'aurais arraché
les ailes d'une mouche. J'écrivais, le cœur battant :
« Daisy passa la main sur ses yeux : elle était
devenue aveugle » et je restais saisi, la plume en
l'air : j'avais produit dans l'absolu un petit événement qui me compromettait délicieusement. Je
n'étais pas vraiment sadique : ma joie perverse
se changeait tout de suite en panique, j'annulais
tous mes décrets, je les surchargeais de ratures
pour les rendre indéchiffrables : la jeune fille

recouvrait la vue ou plutôt elle ne l'avait jamais
perdue. Mais le souvenir de mes caprices me tour-
mentait longtemps : je me donnais de sérieuses
inquiétudes.

Le monde écrit lui aussi m'inquiétait : parfois,
lassé des doux massacres pour enfants, je me
laissais couler, je découvrais dans l'angoisse des
possibilités effroyables, un univers monstrueux qui
n'était que l'envers de ma toute-puissance; je me
disais : tout peut arriver! et cela voulait dire :
je peux tout imaginer. Tremblant, toujours sur le
point de déchirer ma feuille, je racontais des atro-
cités surnaturelles. Ma mère, s'il lui arrivait de lire
par-dessus mon épaule, jetait un cri de gloire et
d'alarme : « Quelle imagination! » Elle mordillait
ses lèvres, voulait parler, ne trouvait rien à dire
et s'enfuyait brusquement : sa déroute mettait le
comble à mon angoisse. Mais l'imagination n'était
pas en cause : je n'inventais pas ces horreurs, je
les trouvais, comme le reste, dans ma mémoire.

A cette époque, l'Occident mourait d'asphyxie :
c'est ce qu'on appela « douceur de vivre ». Faute
d'ennemis visibles, la bourgeoisie prenait plaisir
à s'effrayer de son ombre; elle troquait son ennui
contre une inquiétude dirigée. On parlait de spiri-
tisme, d'ectoplasmes; rue Le Goff, au numéro 2,
face à notre immeuble, on faisait tourner les tables.
Cela se passait au quatrième étage : « chez le
mage », disait ma grand-mère. Parfois, elle nous
appelait et nous arrivions à temps pour voir des
paires de mains sur un guéridon mais quelqu'un
s'approchait de la fenêtre et tirait les rideaux.
Louise prétendait que ce mage recevait chaque

jour des enfants de mon âge, conduits par leurs
mères. « Et, disait-elle, je le vois : il leur fait
l'imposition des mains. » Mon grand-père hochait
la tête mais, bien qu'il condamnât ces pratiques,
il n'osait les tourner en dérision; ma mère en avait
peur, ma grand-mère, pour une fois, semblait plus
intriguée que sceptique. Finalement, ils tombaient
d'accord : « Il ne faut surtout pas s'occuper de ça,
ça rend fou! » La mode était aux histoires fantastiques; les journaux bien pensants en fournissaient
deux ou trois par semaine à ce public déchris-
tianisé qui regrettait les élégances de la foi. Le
narrateur rapportait en toute objectivité un fait
troublant; il laissait une chance au positivisme :
pour étrange qu'il fût, l'événement devait comporter
une explication rationnelle. Cette explication,
l'auteur la cherchait, la trouvait, nous la présentait
loyalement. Mais, tout aussitôt, il mettait son art
à nous en faire mesurer l'insuffisance et la légèreté.
Rien de plus : le conte s'achevait sur une interro-
gation. Mais cela suffisait : l'Autre Monde était là,
d'autant plus redoutable qu'on ne le nommait
point.

Quand j'ouvrais le Matin, l'effroi me glaçait. Une
histoire entre toutes me frappa. Je me rappelle
encore son titre : « Du vent dans les arbres ». Un
soir d'été, une malade, seule au premier étage
d'une maison de campagne, se tourne et se retourne
dans son lit; par la fenêtre ouverte, un marronnier
pousse ses branches dans la chambre. Au rez-de-
chaussée plusieurs personnes sont réunies, elles
causent et regardent la nuit tomber sur le jardin.
Tout à coup quelqu'un montre le marronnier :

« Tiens, tiens! Mais il y a donc du vent? » On s'étonne, on sort sur le perron : pas un souffle; pourtant le feuillage s'agite. A cet instant, un cri! le mari de la malade se jette dans l'escalier et trouve sa jeune épouse dressée sur le lit, qui désigne l'arbre du doigt et tombe morte; le marronnier a retrouvé sa stupeur coutumière. Qu'a-t-elle vu? Un fou s'est échappé de l'asile : ce sera lui, caché dans l'arbre, qui aura montré sa face grimaçante. C'est lui, il *faut* que ce soit lui par la raison qu'aucune autre explication ne peut satisfaire. Et pourtant... Comment ne l'a-t-on pas vu monter? Ni descendre? Comment les chiens n'ont-ils pas aboyé? Comment a-t-on pu l'arrêter, six heures plus tard, à cent kilomètres de la propriété? Questions sans réponse. Le conteur passait à la ligne et négligemment concluait : « S'il faut en croire les gens du village, c'était la Mort qui secouait les branches du marronnier. » Je rejetai le journal, je frappai du pied, je dis à haute voix : « Non! Non! » Mon cœur battait à se rompre. Je pensai m'évanouir un jour, dans le train de Limoges, en feuilletant l'almanach Hachette : j'étais tombé sur une gravure à faire dresser les cheveux : un quai sous la lune, une longue pince rugueuse sortait de l'eau, accrochait un ivrogne, l'entraînait au fond du bassin. L'image illustrait un texte que je lus avidement et qui se terminait — ou presque — par ces mots : « Etait-ce une hallucination d'alcoolique? L'Enfer s'était-il entrouvert? » J'eus peur de l'eau, peur des crabes et des arbres. Peur des livres surtout : je maudis les bourreaux qui peuplaient leurs récits de ces figures atroces. Pourtant je les imitai.

Il fallait, bien sûr, une occasion. Par exemple,
la tombée du jour : l'ombre noyait la salle à
manger, je poussais mon petit bureau contre la
fenêtre, l'angoisse renaissait, la docilité de mes
héros, immanquablement sublimes, méconnus et
réhabilités, révélait leur inconsistance; alors *ça*
venait : un être vertigineux me fascinait, invisible;
pour le voir il fallait le décrire. Je terminai vivement l'aventure en cours, j'emmenai mes personnages en une tout autre région du globe, en
général sous-marine ou souterraine, je me hâtai
de les exposer à de nouveaux dangers : scaphan-
driers ou géologues improvisés, ils trouvaient la
trace de l'Etre, la suivaient et, tout à coup, le
rencontraient. Ce qui venait alors sous ma plume —
pieuvre aux yeux de feu, crustacé de vingt tonnes,
araignée géante et qui parlait — c'était moi-même,
monstre enfantin, c'était mon ennui de vivre, ma
peur de mourir, ma fadeur et ma perversité. Je
ne me reconnaissais pas : à peine enfantée, la
créature immonde se dressait contre moi, contre
mes courageux spéléologues, je craignais pour leur
vie, mon cœur s'emballait, j'oubliais ma main,
traçant les mots, je croyais les lire. Très souvent les
choses en restaient là : je ne livrais pas les hommes
à la Bête mais je ne les tirais pas non plus d'affaire;
il suffisait, en somme, que je les eusse mis en
contact; je me levais, j'allais à la cuisine, à la
bibliothèque; le lendemain, je laissais une ou
deux pages blanches et lançais mes personnages
dans une nouvelle entreprise. Etranges « romans »,
toujours inachevés, toujours recommencés ou conti-
nués, comme on voudra, sous d'autres titres, bric-à-

brac de contes noirs et d'aventures blanches,
d'événements fantastiques et d'articles de dictionnaire; je les ai perdus et je me dis parfois que
c'est dommage : si je m'étais avisé de les mettre
sous clef, ils me livreraient toute mon enfance.

Je commençais à me découvrir. Je n'étais presque
rien, tout au plus une activité sans contenu, mais
il n'en fallait pas davantage. J'échappais à la
comédie : je ne travaillais pas encore mais déjà
je ne jouais plus, le menteur trouvait sa vérité
dans l'élaboration de ses mensonges. Je suis né de
l'écriture : avant elle, il n'y avait qu'un jeu de
miroirs; dès mon premier roman, je sus qu'un
enfant s'était introduit dans le palais de glaces.
Ecrivant, j'existais, j'échappais aux grandes personnes; mais je n'existais que pour écrire et si je
disais : moi, cela signifiait : moi qui écris. N'importe : je connus la joie; l'enfant public se donna
des rendez-vous privés.

C'était trop beau pour durer : je serais resté
sincère si je m'étais maintenu dans la clandestinité;
on m'en arracha. J'atteignais l'âge où l'on est
convenu que les enfants bourgeois donnent les
premières marques de leur vocation, on nous avait
fait savoir depuis longtemps que mes cousins
Schweitzer, de Guérigny, seraient ingénieurs
comme leur père : il n'y avait plus une minute
à perdre. Mme Picard voulut être la première à
découvrir le signe que je portais au front. « Ce
petit écrira! » dit-elle avec conviction. Agacée,
Louise fit son petit sourire sec; Blanche Picard se
tourna vers elle et répéta sévèrement : « Il écrira!

Il est fait pour écrire. » Ma mère savait que Charles
ne m'encourageait guère : elle craignit des complications et me considéra d'un œil myope : « Vous
croyez, Blanche? Vous croyez? » Mais le soir,
comme je bondissais sur mon lit, en chemise, elle
me serra fortement les épaules et me dit en souriant : « Mon petit bonhomme écrira! » Mon
grand-père fut informé prudemment : on craignait
un éclat. Il se contenta de hocher la tête et je
l'entendis confier à M. Simonnot, le jeudi suivant,
que personne, au soir de la vie, n'assistait sans
émotion à l'éveil d'un talent. Il continua d'ignorer
mes gribouillages mais, quand ses élèves allemands
venaient dîner à la maison, il posait sa main sur
mon crâne et répétait, en détachant les syllabes
pour ne pas perdre une occasion de leur enseigner
des locutions françaises par la méthode directe :
« Il a la bosse de la littérature. »

Il ne croyait pas un mot de ce qu'il disait, mais
quoi? Le mal était fait; à me heurter de front on
risquait de l'aggraver : je m'opiniâtrerais peut-être.
Karl proclama ma vocation pour garder une chance
de m'en détourner. C'était le contraire d'un
cynique mais il vieillissait : ses enthousiasmes le
fatiguaient; au fond de sa pensée, dans un froid
désert peu visité, je suis sûr qu'*on* savait à quoi
s'en tenir sur moi, sur la famille, sur lui. Un jour
que je lisais, couché entre ses pieds, au milieu de
ces interminables silences pétrifiés qu'il nous
imposait, une idée le traversa, qui lui fit oublier
ma présence; il regarda ma mère avec reproche :
« Et s'il se mettait en tête de vivre de sa plume? »
Mon grand-père appréciait Verlaine dont il pos-

sédait un choix de poèmes. Mais il croyait l'avoir
vu, en 1894, entrer « saoul comme un cochon »
dans un mastroquet de la rue Saint-Jacques : cette
rencontre l'avait ancré dans le mépris des écrivains
professionnels, thaumaturges dérisoires qui deman-
dent un louis d'or pour faire voir la lune et
finissent par montrer, pour cent sous, leur derrière.
Ma mère prit l'air effrayé mais ne répondit pas :
elle savait que Charles avait d'autres vues sur moi.
Dans la plupart des lycées, les chaires de langue
allemande étaient occupées par des Alsaciens qui
avaient opté pour la France et dont on avait voulu
récompenser le patriotisme : pris entre deux
nations, entre deux langages, ils avaient fait des
études irrégulières et leur culture avait des trous;
ils en souffraient; ils se plaignaient aussi que
l'hostilité de leurs collègues les tînt à l'écart de la
communauté enseignante. Je serais leur vengeur,
je vengerais mon grand-père : petit-fils d'Alsacien,
j'étais en même temps Français de France; Karl
me ferait acquérir un savoir universel, je prendrais
la voie royale : en ma personne l'Alsace martyre
entrerait à l'Ecole Normale Supérieure, passerait
brillamment le concours d'agrégation, deviendrait
ce prince : un professeur de lettres. Un soir, il
annonça qu'il voulait me parler d'homme à homme,
les femmes se retirèrent, il me prit sur ses genoux
et m'entretint gravement. J'écrirais, c'était une
affaire entendue; je devais le connaître assez pour
ne pas redouter qu'il contrariât mes désirs. Mais il
fallait regarder les choses en face, avec lucidité :
la littérature ne nourrissait pas. Savais-je que des
écrivains fameux étaient morts de faim? Que

d'autres, pour manger, s'étaient vendus? Si je
voulais garder mon indépendance, il convenait de
choisir un second métier. Le professorat laissait des
loisirs; les préoccupations des universitaires rejoi-
gnent celles des littérateurs : je passerais constamment d'un sacerdoce à l'autre; je vivrais dans le
commerce des grands auteurs; d'un même mouvement, je révélerais leurs ouvrages à mes élèves et
j'y puiserais mon inspiration. Je me distrairais de
ma solitude provinciale en composant des poèmes,
une traduction d'Horace en vers blancs, je donnerais aux journaux locaux de courts billets littéraires, à la *Revue Pédagogique* un essai brillant sur
l'enseignement du grec, un autre sur la psychologie
des adolescents; à ma mort on trouverait des inédits
dans mes tiroirs, une méditation sur la mer, une
comédie en un acte, quelques pages érudites et
sensibles sur les monuments d'Aurillac, de quoi
faire une plaquette qui serait publiée par les soins
de mes anciens élèves.

Depuis quelque temps, quand mon grand-père
s'extasiait sur mes vertus, je restais de glace; la
voix qui tremblait d'amour en m'appelant « cadeau
du Ciel », je feignais encore de l'écouter mais
j'avais fini par ne plus l'entendre. Pourquoi lui
ai-je prêté l'oreille ce jour-là, au moment qu'elle
mentait le plus délibérément? Par quel malentendu
lui ai-je fait dire le contraire de ce qu'elle prétendait m'apprendre? C'est qu'elle avait changé :
asséchée, durcie, je la pris pour celle de l'absent
qui m'avait donné le jour. Charles avait deux
visages : quand il jouait au grand-père, je le tenais
pour un bouffon de mon espèce et ne le respectais

pas. Mais s'il parlait à M. Simonnot, à ses fils, s'il
se faisait servir par ses femmes à table, en dési-
gnant du doigt, sans un mot, l'huilier ou la corbeille
à pain, j'admirais son autorité. Le coup de l'index,
surtout, m'en imposait : il prenait soin de ne pas
le tendre, de le promener vaguement dans les airs,
à demi ployé, pour que la désignation demeurât
imprécise et que ses deux servantes eussent à
deviner ses ordres; parfois, exaspérée, ma grand-
mère se trompait et lui offrait le compotier quand
il demandait à boire : je blâmais ma grand-mère,
je m'inclinais devant ces désirs royaux qui voulaient être prévenus plus encore que comblés. Si
Charles se fût écrié de loin, en ouvrant les bras :
« Voici le nouvel Hugo, voici Shakespeare en
herbe! », je serais aujourd'hui dessinateur indus-
triel ou professeur de lettres. Il s'en garda bien :
pour la première fois j'eus affaire au patriarche;
il semblait morose et d'autant plus vénérable qu'il
avait oublié de m'adorer. C'était Moïse dictant la
loi nouvelle. Ma loi. Il n'avait mentionné ma vocation que pour en souligner les désavantages : j'en
conclus qu'il la tenait pour acquise. M'eût-il prédit
que je tremperais mon papier de mes larmes ou
que je me roulerais sur le tapis, ma modération
bourgeoise se fût effarouchée. Il me convainquit
de ma vocation en me faisant comprendre que ces
fastueux désordres ne m'étaient pas réservés : pour
traiter d'Aurillac ou de la pédagogie, point n'était
besoin de fièvre, hélas, ni de tumulte; les immortels
sanglots du XXᵉ siècle, d'autres se chargeraient de
les pousser. Je me résignai à n'être jamais tempête
ni foudre, à briller dans la littérature par des qua-

lités domestiques, par ma gentillesse et mon appli-
cation. Le métier d'écrire m'apparut comme une
activité de grande personne, si lourdement sérieuse,
si futile et, dans le fond, si dépourvue d'intérêt que
je ne doutai pas un instant qu'elle me fût réservée;
je me dis à la fois : « ce n'est que ça » et « je suis
doué ». Comme tous les songe-creux, je confondis
le désenchantement avec la vérité.

Karl m'avait retourné comme une peau de lapin :
j'avais cru n'écrire que pour fixer mes rêves quand
je ne rêvais, à l'en croire, que pour exercer ma
plume : mes angoisses, mes passions imaginaires
n'étaient que les ruses de mon talent, elles n'avaient
d'autre office que de me ramener chaque jour à mon
pupitre et de me fournir les thèmes de narration
qui convenaient à mon âge en attendant les grandes
dictées de l'expérience et la maturité. Je perdis mes
illusions fabuleuses : «Ah! disait mon grand-père, ce
n'est pas tout que d'avoir des yeux, il faut apprendre à s'en servir. Sais-tu ce que faisait Flaubert
quand Maupassant était petit? Il l'installait devant
un arbre et lui donnait deux heures pour le décrire.»
J'appris donc à voir. Chantre prédestiné des édifices
aurilliaciens, je regardais avec mélancolie ces autres
monuments : le sous-main, le piano, la pendule
qui seraient eux aussi — pourquoi pas? — immor-
talisés par mes pensums futurs. J'observai. C'était
un jeu funèbre et décevant : il fallait se planter
devant le fauteuil en velours frappé et l'inspecter.
Qu'y avait-il à dire? Eh bien, qu'il était recouvert
d'une étoffe verte et râpeuse, qu'il avait deux bras,
quatre pieds, un dossier surmonté de deux petites
pommes de pin en bois. C'était tout pour l'instant

mais j'y reviendrais, je ferais mieux la prochaine
fois, je finirais par le connaître sur le bout du
doigt; plus tard, je le décrirais, les lecteurs
diraient : « Comme c'est bien observé, comme c'est
vu, comme c'est ça! Voilà des traits qu'on n'invente
pas! » Peignant de vrais objets avec de vrais mots
tracés par une vraie plume, ce serait bien le diable
si je ne devenais pas vrai moi aussi. Bref je savais,
une fois pour toutes, ce qu'il fallait répondre aux
contrôleurs qui me demanderaient mon billet.

On pense bien que j'appréciais mon bonheur!
L'ennui, c'est que je n'en jouissais pas. J'étais
titularisé, on avait eu la bonté de me donner un
avenir et je le proclamais enchanteur mais, sournoisement, je l'abominais. L'avais-je demandée,
moi, cette charge de greffier? La fréquentation des
grands hommes m'avait convaincu qu'on ne saurait
être écrivain sans devenir illustre; mais, quand je
comparais la gloire qui m'était échue aux quelques
opuscules que je laisserais derrière moi, je me
sentais mystifié : pouvais-je croire en vérité que
mes petits-neveux me reliraient encore et qu'ils
s'enthousiasmeraient pour une œuvre si mince,
pour des sujets qui m'ennuyaient d'avance? Je me
disais parfois que je serais sauvé de l'oubli par
mon « style », cette énigmatique vertu que mon
grand-père déniait à Stendhal et reconnaissait à
Renan : mais ces mots dépourvus de sens ne parve-
naient pas à me rassurer.

Surtout, il fallut renoncer à moi-même. Deux
mois plus tôt, j'étais un bretteur, un athlète : fini!
Entre Corneille et Pardaillan, on me sommait de
choisir. J'écartai Pardaillan que j'aimais d'amour;

par humilité j'optai pour Corneille. J'avais vu les
héros courir et lutter au Luxembourg; terrassé par
leur beauté, j'avais compris que j'appartenais à
l'espèce inférieure. Il fallut le proclamer, remettre
l'épée au fourreau, rejoindre le bétail ordinaire,
renouer avec les grands écrivains, ces foutriquets
qui ne m'intimidaient pas : ils avaient été des
enfants rachitiques, en cela au moins je leur
ressemblais; ils étaient devenus des adultes malin-
gres, des vieillards catarrheux, je leur ressemblerais
en cela; un noble avait fait rosser Voltaire et je
serais cravaché, peut-être, par un capitaine, ancien
fier-à-bras de jardin public.

Je me crus doué par résignation : dans le bureau
de Charles Schweitzer, au milieu de livres éreintés,
débrochés, dépareillés, le talent était la chose du
monde la plus dépréciée. Ainsi, sous l'Ancien
Régime, bien des cadets se seraient damnés pour
commander un bataillon, qui étaient voués de naissance à la cléricature. Une image a résumé longtemps
à mes yeux les fastes sinistres de la notoriété : une
longue table recouverte d'une nappe blanche portait
des carafons d'orangeade et des bouteilles de mous-
seux, je prenais une coupe, des hommes en habit qui
m'entouraient — ils étaient bien quinze — portaient un toast à ma santé, je devinais derrière
nous l'immensité poussiéreuse et déserte d'une salle
en location. On voit que je n'attendais plus rien
de la vie sinon qu'elle ressuscitât pour moi, sur le
tard, la fête annuelle de l'Institut des Langues
Vivantes.

Ainsi s'est forgé mon destin, au numéro un de la
rue Le Goff, dans un appartement du cin-

quième étage, au-dessous de Gœthe et de Schiller,
au-dessus de Molière, de Racine, de La Fontaine,
face à Henri Heine, à Victor Hugo, au cours
d'entretiens cent fois recommencés : Karl et moi
nous chassions les femmes, nous nous embrassions
étroitement, nous poursuivions de bouche à oreille
ces dialogues de sourds dont chaque mot me mar-
quait. Par petites touches bien placées, Charles me
persuadait que je n'avais pas de génie. Je n'en
avais pas, en effet, je le savais, je m'en foutais;
absent, impossible, l'héroïsme faisait l'unique objet
de ma passion : c'est la flambée des âmes pauvres,
ma misère intérieure et le sentiment de ma gratuité
m'interdisaient d'y renoncer tout à fait. Je n'osais
plus m'enchanter de ma geste future mais dans le
fond j'étais terrorisé : on avait dû se tromper
d'enfant ou de vocation. Perdu, j'acceptai, pour
obéir à Karl, la carrière appliquée d'un écrivain
mineur. Bref, il me jeta dans la littérature par le
soin qu'il mit à m'en détourner : au point qu'il
m'arrive aujourd'hui encore, de me demander,
quand je suis de mauvaise humeur, si je n'ai pas
consommé tant de jours et tant de nuits, couvert
tant de feuillets de mon encre, jeté sur le marché
tant de livres qui n'étaient souhaités par personne,
dans l'unique et fol espoir de plaire à mon grand-
père. Ce serait farce : à plus de cinquante ans, je
me trouverais embarqué, pour accomplir les volontés d'un très vieux mort, dans une entreprise qu'il
ne manquerait pas de désavouer.

En vérité, je ressemble à Swann guéri de son
amour et soupirant : « Dire que j'ai gâché ma vie
pour une femme qui n'était pas mon genre! » Par-

fois, je suis mufle en secret : c'est une hygiène
rudimentaire. Or le mufle a toujours raison mais
jusqu'à un certain point. Il est vrai que je ne suis
pas doué pour écrire; on me l'a fait savoir, on
m'a traité de fort en thème : j'en suis un; mes
livres sentent la sueur et la peine, j'admets qu'ils
puent au nez de nos aristocrates; je les ai souvent
faits contre moi, ce qui veut dire contre tous [1],
dans une contention d'esprit qui a fini par
devenir une hypertension de mes artères. On m'a
cousu mes commandements sous la peau : si je
reste un jour sans écrire, la cicatrice me brûle; si
j'écris trop aisément, elle me brûle aussi. Cette
exigence fruste me frappe aujourd'hui par sa rai-
deur, par sa maladresse : elle ressemble à ces crabes
préhistoriques et solennels que la mer porte sur
les plages de Long Island; elle survit, comme eux,
à des temps révolus. Longtemps j'ai envié les
concierges de la rue Lacépède, quand le soir et l'été
les font sortir sur le trottoir, à califourchon sur
leurs chaises : leurs yeux innocents voyaient sans
avoir mission de regarder.

Seulement voilà : à part quelques vieillards qui
trempent leur plume dans l'eau de Cologne et de
petits dandies qui écrivent comme des bouchers,
les forts en version n'existent pas. Cela tient à la
nature du Verbe : on parle dans sa propre langue,
on écrit en langue étrangère. J'en conclus que nous
sommes tous pareils dans notre métier : tous

---

1. Soyez complaisants à vous-même, les autres complaisants vous aimeront; déchirez votre voisin, les autres voisins
riront. Mais si vous battez votre âme, toutes les âmes
crieront.

bagnards, tous tatoués. Et puis le lecteur a compris
que je déteste mon enfance et tout ce qui en survit :
la voix de mon grand-père, cette voix enregistrée
qui m'éveille en sursaut et me jette à ma table,
je ne l'écouterais pas si ce n'était la mienne, si je
n'avais, entre huit et dix ans, repris à mon compte
dans l'arrogance, le mandat soi-disant impératif que
j'avais reçu dans l'humilité.

> « *Je sais fort bien que je ne suis
> qu'une machine à faire des livres.* »
>
> (Chateaubriand)

J'ai failli déclarer forfait. Le don que Karl me
reconnaissait du bout des lèvres, jugeant maladroit
de le dénier tout à fait, je n'y voyais au fond qu'un
hasard incapable de légitimer cet autre hasard,
moi-même. Ma mère avait une belle voix, *donc* elle
chantait. Elle n'en voyageait pas moins sans billet.
Moi, j'avais la bosse de la littérature, donc j'écrirais, j'exploiterais ce filon toute ma vie. D'accord.
Mais l'Art perdait — pour moi du moins — ses
pouvoirs sacrés, je resterais vagabond — un peu
mieux nanti, c'est tout. Pour que je me sentisse
nécessaire, il eût fallu qu'on me réclamât. Ma
famille m'avait entretenu quelque temps dans cette
illusion; on m'avait répété que j'étais un don du
Ciel, très attendu, indispensable à mon grand-père,
à ma mère : je n'y croyais plus mais j'avais gardé
le sentiment qu'on naît superflu à moins d'être mis
au monde spécialement pour combler une attente.

Mon orgueil et mon délaissement étaient tels, à
l'époque, que je souhaitais être mort ou requis par
toute la terre.

Je n'écrivais plus : les déclarations de Mme Picard
avaient donné aux soliloques de ma plume une
telle importance que je n'osais plus les poursuivre.
Quand je voulus reprendre mon roman, sauver au
moins le jeune couple que j'avais laissé sans pro-
visions ni casque colonial au beau milieu du
Sahara, je connus les affres de l'impuissance. A
peine assis, ma tête s'emplissait de brouillard, je
mordillais mes ongles en grimaçant : j'avais perdu
l'innocence. Je me relevais, je rôdais dans l'appart-
tement avec une âme d'incendiaire; hélas, je n'y
mis jamais le feu : docile par condition, par goût,
par coutume, je ne suis venu, plus tard, à la rébel-
lion que pour avoir poussé la soumission à
l'extrême. On m'acheta un « cahier de devoirs »,
recouvert de toile noire avec des tranches rouges :
aucun signe extérieur ne le distinguait de mon
« cahier de romans » : à peine l'eus-je regardé, mes
devoirs scolaires et mes obligations personnelles
fusionnèrent, j'identifiai l'auteur à l'élève, l'élève
au futur professeur, c'était tout un d'écrire et d'enseigner la grammaire; ma plume, socialisée, me
tomba de la main et je restai plusieurs mois sans
la ressaisir. Mon grand-père souriait dans sa barbe
quand je traînais ma maussaderie dans son bureau :
il se disait sans doute que sa politique portait ses
premiers fruits.

Elle échoua parce que j'avais la tête épique. Mon
épée brisée, rejeté dans la roture, je fis souvent, la
nuit, ce rêve anxieux : j'étais au Luxembourg, près

du bassin, face au Sénat; il fallait protéger contre
un danger inconnu une petite fille blonde qui ressemblait à Vévé, morte un an plus tôt. La petite,
calme et confiante, levait vers moi ses yeux graves;
souvent, elle tenait un cerceau. C'était moi qui
avais peur : je craignais de l'abandonner à des
forces invisibles. Combien je l'aimais pourtant, de
quel amour désolé! Je l'aime toujours; je l'ai cher-
chée, perdue, retrouvée, tenue dans mes bras,
reperdue : c'est l'Epopée. A huit ans, au moment
de me résigner, j'eus un violent sursaut; pour
sauver cette petite morte, je me lançai dans une
opération simple et démente qui dévia le cours de
ma vie : je refilai à l'écrivain les pouvoirs sacrés du
héros.

A l'origine il y eut une découverte ou plutôt
une réminiscence — car j'en avais eu deux ans plus
tôt le pressentiment : les grands auteurs s'appa-
rentent aux chevaliers errants en ceci que les uns
et les autres suscitent des marques passionnées de
gratitude. Pour Pardaillan, la preuve n'était plus
à faire : les larmes d'orphelines reconnaissantes
avaient raviné le dos de sa main. Mais, à croire le
Grand Larousse et les notices nécrologiques que je
lisais dans les journaux, l'écrivain n'était pas moins
favorisé : pour peu qu'il vécût longtemps, il finissait invariablement par recevoir une lettre d'un
inconnu qui le *remerciait*; à dater de cette minute,
les remerciements ne s'arrêtaient plus, s'entassaient
sur son bureau, encombraient son appartement;
des étrangers traversaient les mers pour le saluer;
ses compatriotes, après sa mort, se cotisaient pour
lui élever un monument; dans sa ville natale et

parfois dans la capitale de son pays, des rues portaient son nom. En elles-mêmes, ces gratulations ne
m'intéressaient pas : elles me rappelaient trop la
comédie familiale. Une gravure, pourtant, me bou-
leversa : le célèbre romancier Dickens va débar-
quer dans quelques heures à New-York, on aperçoit au loin le bateau qui le transporte; la foule
s'est massée sur le quai pour l'accueillir, elle ouvre
toutes ses bouches et brandit mille casquettes, si
dense que les enfants étouffent, solitaire, pourtant,
orpheline et veuve, dépeuplée par la seule absence
de l'homme qu'elle attend. Je murmurai : « Il y a
quelqu'un qui manque ici : c'est Dickens! » et les
larmes me vinrent aux yeux. Pourtant j'écartai ces
effets, j'allai droit à leur cause : pour être si fol-
lement acclamés, il fallait, me dis-je, que les
hommes de lettres affrontassent les pires dangers et
rendissent à l'humanité les services les plus émi-
nents. Une fois dans ma vie j'avais assisté à un
pareil déchaînement d'enthousiasme : les chapeaux
volaient, hommes et femmes criaient : bravo, hur-
rah; c'était le 14 juillet, les Turcos défilaient. Ce
souvenir acheva de me convaincre : en dépit de
leurs tares physiques, de leur afféterie, de leur
apparente féminité, mes confrères étaient des
manières de soldats, ils risquaient leur vie en francs-
tireurs dans de mystérieux combats, on applaudis-
sait, plus encore que le talent, leur courage militaire. C'est donc vrai! me dis-je. On a *besoin d'eux!*
A Paris, à New-York, à Moscou, on les attend, dans
l'angoisse ou dans l'extase, avant qu'ils aient publié
leur premier livre, avant qu'ils aient commencé
d'écrire, avant même qu'ils soient nés.

Mais alors... moi? Moi qui avais mission d'écrire?
Eh bien l'on m'attendait. Je transformai Corneille
en Pardaillan : il conserva ses jambes torses, sa
poitrine étroite et sa face de carême mais je lui
ôtai son avarice et son appétit du gain; je confondis
délibérément l'art d'écrire et la générosité. Après
quoi ce fut un jeu de me changer en Corneille et
de me donner ce mandat : protéger l'espèce. Ma
nouvelle imposture me préparait un drôle d'avenir;
sur l'instant j'y gagnai tout. Mal né, j'ai dit mes
efforts pour renaître : mille fois les supplications
de l'innocence en péril m'avaient suscité. Mais
c'était pour rire : faux chevalier, je faisais de
fausses prouesses dont l'inconsistance avait fini par
me dégoûter. Or voici qu'on me rendait mes rêves
et qu'ils se réalisaient. Car elle était réelle, ma
vocation, je ne pouvais en douter puisque le grand
prêtre s'en portait garant. Enfant imaginaire, je
devenais un vrai paladin dont les exploits seraient
de vrais livres. J'étais requis! On attendait mon
œuvre dont le premier tome, malgré mon zèle, ne
paraîtrait pas avant 1935. Aux environs de 1930 les
gens commenceraient à s'impatienter, ils se diraient
entre eux : « Il prend son temps, celui-là! Voici
vingt-cinq ans qu'on le nourrit à ne rien faire!
Allons-nous crever sans l'avoir lu? » Je leur répondais, avec ma voix de 1913 : « Hé, laissez-moi le
temps de travailler! » Mais gentiment : je voyais
bien qu'ils avaient — Dieu seul savait pourquoi —
besoin de mes secours et que ce besoin m'avait
engendré, moi, l'unique moyen de le combler. Je
m'appliquais à surprendre, au fond de moi-même,
cette universelle attente, ma source vive et ma

raison d'être; je me croyais quelquefois sur le point
d'y réussir et puis, au bout d'un moment, je laissais
tout aller. N'importe : ces fausses illuminations me
suffisaient. Rassuré, je regardais au-dehors : peut-
être en certains lieux manquais-je déjà. Mais non :
c'était trop tôt. Bel objet d'un désir qui s'ignorait
encore, j'acceptais joyeusement de garder pour
quelque temps l'*incognito*. Quelquefois ma grand-
mère m'emmenait à son cabinet de lecture et je
voyais avec amusement de longues dames pensives,
insatisfaites, glisser d'un mur à l'autre en quête de
l'auteur qui les rassasierait : il restait introuvable
puisque c'était moi, ce môme dans leurs jupes,
qu'elles ne regardaient même pas.

Je riais de malice, je pleurais d'attendrissement :
j'avais passé ma courte vie à m'inventer des goûts
et des partis pris qui se diluaient aussitôt. Or voici
qu'on m'avait sondé et que la sonde avait rencontré
le roc; j'étais écrivain comme Charles Schweitzer
était grand-père : de naissance et pour toujours. Il
arrivait cependant qu'une inquiétude perçât sous
l'enthousiasme : le talent que je croyais cautionné
par Karl, je refusais d'y voir un accident et je
m'étais arrangé pour en faire un mandat, mais,
faute d'encouragements et d'une réquisition véritable, je ne pouvais oublier que je me le donnais
moi-même. Surgi d'un monde antédiluvien, à l'instant que j'échappais à la Nature pour devenir enfin
moi, cet Autre que je prétendais être aux yeux des
autres, je regardais en face mon Destin et je le
reconnaissais : ce n'était que ma liberté, dressée
devant moi par mes soins comme un pouvoir
étranger. Bref je n'arrivais pas à me pigeonner tout

à fait. Ni tout à fait à me désabuser. J'oscillais.
Mes hésitations ressuscitèrent un vieux problème :
comment joindre les certitudes de Michel Strogoff
à la générosité de Pardaillan? Chevalier, je n'avais
jamais pris les ordres du roi; fallait-il accepter
d'être auteur par commandement? Le malaise ne
durait jamais bien longtemps; j'étais la proie de
deux mystiques opposées mais je m'accommodais
fort bien de leurs contradictions. Cela m'arrangeait,
même, d'être à la fois cadeau du Ciel et fils de
mes œuvres. Les jours de bonne humeur, tout
venait de moi, je m'étais tiré du néant par mes
propres forces pour apporter aux hommes les lectures qu'ils souhaitaient : enfant soumis, j'obéirais
jusqu'à la mort mais à moi. Aux heures désolées,
quand je sentais l'écœurante fadeur de ma disponi-
bilité, je ne pouvais me calmer qu'en forçant sur
la prédestination : je convoquais l'espèce et lui refi-
lais la responsabilité de ma vie; je n'étais que le
produit d'une exigence collective. La plupart du
temps, je ménageais la paix de mon cœur en prenant soin de ne jamais tout à fait exclure ni la
liberté qui exalte ni la nécessité qui justifie.

Pardaillan et Strogoff pouvaient faire bon
ménage : le danger était ailleurs et l'on me rendit
témoin d'une confrontation déplaisante qui m'obli-
gea par la suite à prendre des précautions. Le grand
responsable est Zévaco dont je ne me méfiais pas;
voulut-il me gêner ou me prévenir? Le fait est
qu'un beau jour, à Madrid, dans une *posada*, quand
je n'avais d'yeux que pour Pardaillan qui se reposait, le pauvre, en buvant un coup de vin bien
mérité, cet auteur attira mon attention sur un

consommateur qui n'était autre que Cervantès. Les
deux hommes font connaissance, affichent une
estime réciproque et vont tenter ensemble un vertueux coup de main. Pis encore, Cervantès, tout
heureux, confie à son nouvel ami qu'il veut écrire
un livre : jusque-là, le personnage principal en restait flou mais, grâce à Dieu, Pardaillan était
apparu, qui lui servirait de modèle. L'indignation
me saisit, je faillis jeter le livre : quel manque de
tact! J'étais écrivain-chevalier, on me coupait en
deux, chaque moitié devenait tout un homme, rencontrait l'autre et la contestait. Pardaillan n'était
pas sot mais n'aurait point écrit Don Quichotte;
Cervantès se battait bien mais il ne fallait pas
compter qu'il mît à lui seul vingt reîtres en fuite.
Leur amitié, elle-même, soulignait leurs limites. Le
premier pensait : « Il est un peu malingre, ce
cuistre, mais il ne manque pas de courage. » Et le
second : « Parbleu! Pour un soudard, cet homme
ne raisonne pas trop mal. » Et puis je n'aimais pas
du tout que mon héros servît de modèle au chevalier de la Triste Figure. Au temps du « cinéma »
on m'avait fait cadeau d'un Don Quichotte
expurgé, je n'en avais pas lu plus de cinquante
pages : on ridiculisait publiquement mes prouesses!
Et voici que Zévaco lui-même... A qui se fier? En
vérité, j'étais une ribaude, une fille à soldats : mon
cœur, mon lâche cœur préférait l'aventurier à l'intellectuel; j'avais honte de n'être que Cervantès.
Pour m'empêcher de trahir, je fis régner la terreur
dans ma tête et dans mon vocabulaire, je pourchas-
sai le mot d'héroïsme et ses succédanés, je refoulai
les chevaliers errants, je me parlai sans cesse des

hommes de lettres, des dangers qu'ils couraient, de leur plume acérée qui embrochait les méchants. Je poursuivis la lecture de *Pardaillan et Fausta*, des *Misérables*, de *La Légende des Siècles*, je pleurai sur Jean Valjean, sur Eviradnus mais, le livre fermé, j'effaçais leurs noms de ma mémoire et je faisais l'appel de mon vrai régiment. Silvio Pellico : emprisonné à vie. André Chénier : guillotiné. Etienne Dolet : brûlé vif. Byron : mort pour la Grèce. Je m'employai avec une passion froide à transfigurer ma vocation en y versant mes anciens rêves, rien ne me fit reculer : je tordis les idées, je faussai le sens des mots, je me retranchai du monde par crainte des mauvaises rencontres et des comparaisons. A la vacance de mon âme succéda la mobilisation totale et permanente : je devins une dictature militaire.

Le malaise persista sous une autre forme : j'affûtai mon talent, rien de mieux. Mais à quoi servirait-il? Les hommes avaient besoin de moi : *pour quoi faire?* J'eus le malheur de m'interroger sur mon rôle et ma destination. Je demandai : « enfin, de quoi s'agit-il? » et, sur l'instant, je crus tout perdu. Il ne s'agissait de *rien*. N'est pas héros qui veut; ni le courage ni le don ne suffisent, il faut qu'il y ait des hydres et des dragons. Je n'en voyais nulle part. Voltaire et Rousseau avaient ferraillé dur en leur temps : c'est qu'il restait encore des tyrans. Hugo, de Guernesey, avait foudroyé Badinguet que mon grand-père m'avait appris à détester. Mais je ne trouvais pas de mérite à proclamer ma haine puisque cet empereur était mort depuis quarante ans. Sur l'histoire contemporaine, Charles

restait muet : ce dreyfusard ne me parla jamais de
Dreyfus. Quel dommage! avec quel entrain j'aurais
joué le rôle de Zola : houspillé à la sortie du Tribunal, je me retourne sur le marchepied de ma
calèche, je casse les reins des plus excités — non,
non : je trouve un mot terrible qui les fait reculer.
Et, bien entendu, je refuse, *moi*, de fuir en Angle-
terre; méconnu, délaissé, quelles délices de redevenir Grisélidis, de battre le pavé de Paris sans
me douter une minute que le Panthéon m'attend.

Ma grand-mère recevait chaque jour *Le Matin* et,
si je ne m'abuse, l'*Excelsior* : j'appris l'existence
de la pègre que j'abominai comme tous les hon-
nêtes gens. Mais ces tigres à face humaine ne faisaient pas mon affaire : l'intrépide M. Lépine suffisait à les mater. Parfois les ouvriers se fâchaient,
aussitôt les capitaux s'envolaient mais je n'en sus
rien et j'ignore encore ce qu'en pensait mon grand-
père. Il remplissait ponctuellement ses devoirs
d'électeur, sortait rajeuni de l'isoloir, un peu fat et,
quand nos femmes le taquinaient : « Enfin, dis-
nous pour qui tu votes! », il répondait sèchement :
« C'est une affaire d'homme! » Pourtant, lorsqu'on
élut le nouveau Président de la République, il nous
fit entendre, dans un moment d'abandon, qu'il
déplorait la candidature de Pams : « C'est un marchand de cigarettes! » s'écria-t-il avec colère. Cet
intellectuel petit-bourgeois voulait que le premier
fonctionnaire de France fût un de ses pairs, un
petit bourgeois intellectuel, Poincaré. Ma mère
m'assure aujourd'hui qu'il votait radical et qu'elle
le savait fort bien. Cela ne m'étonne pas : il avait
choisi le parti des fonctionnaires; et puis les radi-

eaux se survivaient déjà : Charles avait la satisfac-
tion de voter pour un parti d'ordre en donnant sa
voix au parti du mouvement. Bref la politique
française, à l'en croire, n'allait pas mal du tout.

Cela me navrait : je m'étais armé pour défendre
l'humanité contre des dangers terribles et tout le
monde m'assurait qu'elle s'acheminait doucement
vers la perfection. Grand-père m'avait élevé dans
le respect de la démocratie bourgeoise : pour elle,
j'aurais dégainé ma plume volontiers; mais sous la
présidence de Fallières le paysan votait : que
demander de plus? Et que fait un républicain s'il
a le bonheur de vivre en république? Il se tourne
les pouces ou bien il enseigne le grec et décrit les
monuments d'Aurillac à ses moments perdus.
J'étais revenu à mon point de départ et je crus
étouffer une fois de plus dans ce monde sans conflits
qui réduisait l'écrivain au chômage.

Ce fut encore Charles qui me tira de peine. A son
insu, naturellement. Deux ans plus tôt, pour
m'éveiller à l'humanisme, il m'avait exposé des idées
dont il ne soufflait plus mot, de crainte d'encou-
rager ma folie mais qui s'étaient gravées dans mon
esprit. Elles reprirent, sans bruit, leur virulence et,
pour sauver l'essentiel, transformèrent peu à peu
l'écrivain-chevalier en écrivain-martyr. J'ai dit
comment ce pasteur manqué, fidèle aux volontés
de son père, avait gardé le Divin pour le verser
dans la Culture. De cet amalgame était né le Saint-
Esprit, attribut de la Substance infinie, patron des
lettres et des arts, des langues mortes ou vivantes
et de la Méthode Directe, blanche colombe qui
comblait la famille Schweitzer de ses apparitions,

voletait, le dimanche, au-dessus des orgues, des
orchestres et se perchait, les jours ouvrables, sur
le crâne de mon grand-père. Les anciens propos
de Karl, rassemblés, composèrent dans ma tête un
discours : le monde était la proie du Mal; un seul
salut : mourir à soi-même, à la Terre, contempler
du fond d'un naufrage les impossibles Idées.
Comme on n'y parvenait pas sans un entraînement
difficile et dangereux, on avait confié la besogne
à un corps de spécialistes. La cléricature prenait
l'humanité en charge et la sauvait par la réversi-
bilité des mérites : les fauves du temporel, grands
et petits, avaient tout loisir de s'entretuer ou de
mener dans l'hébétude une existence sans vérité
puisque les écrivains et les artistes méditaient à leur
place sur la Beauté, sur le Bien. Pour arracher
l'espèce entière à l'animalité il ne fallait que deux
conditions : que l'on conservât dans des locaux surveillés les reliques — toiles, livres, statues — des
clercs morts; qu'il restât au moins un clerc vivant
pour continuer la besogne et fabriquer les reliques
futures.

Sales fadaises : je les gobai sans trop les
comprendre, j'y croyais encore à vingt ans. A cause
d'elles j'ai tenu longtemps l'œuvre d'art pour un
événement métaphysique dont la naissance intéressait l'univers. Je déterrai cette religion féroce
et je la fis mienne pour dorer ma terne vocation :
j'absorbai des rancunes et des aigreurs qui ne m'appartenaient point, pas davantage à mon grand-père,
les vieilles biles de Flaubert, des Goncourt, de
Gautier m'empoisonnèrent; leur haine abstraite de
l'homme, introduite en moi sous le masque de

l'amour, m'infecta de prétentions nouvelles. Je
devins cathare, je confondis la littérature avec la
prière, j'en fis un sacrifice humain. Mes frères, déci-
dai-je, me demandaient tout simplement de consa-
crer ma plume à leur rachat : ils souffraient d'une
insuffisance d'être qui, sans l'intercession des Saints,
les aurait voués en permanence à l'anéantissement;
si j'ouvrais les yeux chaque matin, si, courant
à la fenêtre, je voyais passer dans la rue des
Messieurs et des Dames encore vivants, c'est que,
du crépuscule à l'aube, un travailleur en chambre
avait lutté pour écrire une page immortelle qui
nous valait ce sursis d'un jour. Il recommencerait
à la tombée de la nuit, ce soir, demain, jusqu'à
mourir d'usure; je prendrais la relève : moi aussi,
je retiendrais l'espèce au bord du gouffre par mon
offrande mystique, par mon œuvre; en douce le
militaire cédait la place au prêtre : Parsifal tra-
gique, je m'offrais en victime expiatoire. Du jour
où je découvris Chantecler, un nœud se fit dans
mon cœur : un nœud de vipères qu'il fallut trente
ans pour dénouer : déchiré, sanglant, rossé, ce coq
trouve le moyen de protéger toute une basse-cour,
il suffit de son chant pour mettre un épervier en
déroute et la foule abjecte l'encense après l'avoir
moqué; l'épervier disparu, le poète revient au
combat, la Beauté l'inspire, décuple ses forces, il
fond sur son adversaire et le terrasse. Je pleurai :
Grisélidis, Corneille, Pardaillan, je les retrouvais
tous en un : Chantecler ce serait moi. Tout me
parut simple : écrire, c'est augmenter d'une perle
le sautoir des Muses, laisser à la postérité le souvenir d'une vie exemplaire, défendre le peuple

contre lui-même et contre ses ennemis, attirer sur
les hommes par une Messe solennelle la bénédic-
tion du ciel. L'idée ne me vint pas qu'on pût écrire
pour être lu.

On écrit pour ses voisins ou pour Dieu. Je pris
le parti d'écrire pour Dieu en vue de sauver mes
voisins. Je voulais des obligés et non pas des lecteurs. Le mépris corrompait ma générosité. Déjà,
du temps que je protégeais les orphelines, je commençais par me débarrasser d'elles en les envoyant
se cacher. Ecrivain, ma manière ne changea pas :
avant de sauver l'humanité, je commencerais par
lui bander les yeux; alors seulement je me tourne-
rais contre les petits reîtres noirs et véloces, contre
les mots; quand ma nouvelle orpheline oserait
dénouer le bandeau, je serais loin; sauvée par une
prouesse solitaire, elle ne remarquerait pas d'abord,
flambant sur un rayon de la Nationale, le petit
volume tout neuf qui porterait mon nom.

Je plaide les circonstances atténuantes. Il y en
a trois. D'abord, à travers un fantasme limpide,
c'était mon droit de vivre que je mettais en question. En cette humanité sans visa qui attend le
bon plaisir de l'Artiste, on aura reconnu l'enfant
gavé de bonheur qui s'ennuyait sur son perchoir,
j'acceptais le mythe odieux du Saint qui sauve la
populace, parce que finalement la populace c'était
moi : je me déclarais sauveteur patenté des foules
pour faire mon propre salut en douce et, comme
disent les Jésuites, par-dessus le marché.

Et puis j'avais neuf ans. Fils unique et sans
camarade, je n'imaginais pas que mon isolement
pût finir. Il faut avouer que j'étais un auteur très

ignoré. J'avais recommencé d'écrire. Mes nouveaux romans, faute de mieux, ressemblaient aux anciens trait pour trait, mais personne n'en prenait connaissance. Pas même moi, qui détestais me relire : ma plume allait si vite que, souvent, j'avais mal au poignet; je jetais sur le parquet les cahiers remplis, je finissais par les oublier, ils disparaissaient; par cette raison je n'achevais rien : à quoi bon raconter la fin d'une histoire quand le commencement s'en est perdu. D'ailleurs, si Karl avait daigné jeter un coup d'œil sur ces pages, il n'aurait pas été *lecteur* à mes yeux mais juge suprême et j'aurais redouté qu'il ne me condamnât. L'écriture, mon travail noir, ne renvoyait à rien et, du coup, se prenait elle-même pour fin : j'écrivais pour écrire. Je ne le regrette pas : eussé-je été lu, je tentais de plaire, je redevenais merveilleux. Clandestin, je fus vrai.

Enfin l'idéalisme du clerc se fondait sur le réalisme de l'enfant. Je l'ai dit plus haut : pour avoir découvert le monde à travers le langage, je pris longtemps le langage pour le monde. Exister, c'était posséder une appellation contrôlée, quelque part sur les Tables infinies du Verbe; écrire c'était y graver des êtres neufs ou — ce fut ma plus tenace illusion — prendre les choses, vivantes, au piège des phrases : si je combinais les mots ingénieusement, l'objet s'empêtrait dans les signes, je le tenais. Je commençais, au Luxembourg, par me fasciner sur un brillant simulacre de platane : je ne l'observais pas, tout au contraire, je faisais confiance au vide, j'attendais; au bout d'un moment, son vrai feuillage surgissait sous l'aspect d'un simple adjectif

ou, quelquefois, de toute une proposition : j'avais
enrichi l'univers d'une frissonnante verdure. Jamais
je n'ai déposé mes trouvailles sur le papier : elles
s'accumulaient, pensai-je, dans ma mémoire. En
fait je les oubliais. Mais elles me donnaient un
pressentiment de mon rôle futur : j'imposerais des
noms. Depuis plusieurs siècles, à Aurillac, de vains
ramas de blancheurs réclamaient des contours
fixes, un sens; j'en ferais des monuments véritables.
Terroriste, je ne visais que leur être : je le consti-
tuerais par le langage; rhétoricien, je n'aimais que
les mots : je dresserais des cathédrales de paroles
sous l'œil bleu du mot ciel. Je bâtirais pour des
millénaires. Quand je prenais un livre, j'avais beau
l'ouvrir et le fermer vingt fois, je voyais bien qu'il
ne s'altérait pas. Glissant sur cette substance incor-
ruptible : le *texte*, mon regard n'était qu'un minuscule accident de surface, il ne dérangeait rien,
n'usait pas. Moi, par contre, passif, éphémère,
j'étais un moustique ébloui, traversé par les feux
d'un phare; je quittais le bureau, j'éteignais : invisible dans les ténèbres, le livre étincelait toujours;
pour lui seul. Je donnerais à mes ouvrages la violence de ces jets de lumière corrosifs, et, plus tard,
dans les bibliothèques en ruines, ils survivraient à
l'homme.

Je me complus à mon obscurité, je souhaitai la
prolonger, m'en faire un mérite. J'enviai les détenus
célèbres qui ont écrit dans des cachots sur du papier
à chandelle. Ils avaient gardé l'obligation de rache-
ter leurs contemporains et perdu celle de les fréquenter. Naturellement, le progrès des mœurs
diminuait mes chances de puiser mon talent dans

la réclusion, mais je n'en désespérais pas tout à
fait : frappée par la modestie de mes ambitions, la
Providence aurait à cœur de les réaliser. En attendant je me séquestrais par anticipation.

Circonvenue par mon grand-père, ma mère ne
perdait pas une occasion de peindre mes joies
futures : pour me séduire elle mettait dans ma vie
tout ce qui manquait à la sienne : la tranquillité,
le loisir, la concorde; jeune professeur encore célibataire, une jolie vieille dame me louerait une
chambre confortable qui sentirait la lavande et le
linge frais, j'irais au lycée d'un saut, j'en reviendrais de même; le soir je m'attarderais sur le pas
de ma porte pour bavarder avec ma logeuse qui
raffolerait de moi; tout le monde m'aimerait, d'ailleurs, parce que je serais courtois et bien élevé. Je
n'entendais qu'un mot : ta chambre, j'oubliais le
lycée, la veuve d'officier supérieur, l'odeur de pro-
vince, je ne voyais plus qu'un rond de lumière sur
ma table : au centre d'une pièce noyée d'ombre,
rideaux tirés, je me penchais sur un cahier de
toile noire. Ma mère continuait son récit, sautait
dix ans : un inspecteur général me protégeait, la
bonne société d'Aurillac voulait bien me recevoir,
ma jeune femme me portait l'affection la plus
tendre, je lui faisais de beaux enfants bien sains,
deux fils et une fille, elle héritait, j'achetais un terrain au bord de la ville, nous faisions bâtir et, tous
les dimanches, la famille entière allait inspecter
les travaux. Je n'écoutais rien : pendant ces dix
années, je n'avais pas quitté ma table : petit, mous-
tachu comme mon père, juché sur une pile de dic-
tionnaires, ma moustache blanchissait, mon poi-

gnet courait toujours, les cahiers tombaient sur le
parquet l'un après l'autre. L'humanité dormait,
c'était la nuit, ma femme et mes enfants dormaient
à moins qu'ils ne fussent morts, ma logeuse dormait; dans toutes les mémoires le sommeil m'avait
aboli. Quelle solitude : deux milliards d'hommes
en long et moi, au-dessus d'eux, seule vigie.

Le Saint-Esprit me regardait. Il venait justement
de prendre la décision de remonter au Ciel et
d'abandonner les hommes; je n'avais que le temps
de m'offrir, je lui montrais les plaies de mon âme,
les larmes qui trempaient mon papier, il lisait par-
dessus mon épaule et sa colère tombait. Etait-il
apaisé par la profondeur des souffrances ou par la
magnificence de l'œuvre? Je me disais : par
l'œuvre; à la dérobée je pensais : par les souffrances. Bien entendu le Saint-Esprit n'appréciait
que les écrits *vraiment* artistiques mais j'avais lu
Musset, je savais que « les plus désespérés sont
les chants les plus beaux » et j'avais décidé de
capter la Beauté par un désespoir piégé. Le mot
de génie m'avait toujours paru suspect : j'allai
jusqu'à le prendre en dégoût totalement. Où serait
l'angoisse, où l'épreuve, où la tentation déjouée, où
le mérite, enfin, si j'avais le don? Je supportais mal
d'avoir un corps et tous les jours la même tête, je
n'allais pas me laisser enfermer dans un équipement. J'acceptais ma désignation à condition qu'elle
ne s'appuyât sur rien, qu'elle brillât, gratuite, dans
le vide absolu. J'avais des conciliabules avec le
Saint-Esprit : « Tu écriras », me disait-il. Et moi je
me tordais les mains : « Qu'ai-je donc, Seigneur,
pour que vous m'ayez choisi? » — « Rien de parti-

culier. » — « Alors, pourquoi moi? » — « Sans
raison. » — « Ai-je au moins quelques facilités de
plume? » — « Aucune. Crois-tu que les grandes
œuvres naissent des plumes faciles? » — « Seigneur,
puisque je suis si nul, comment pourrais-je faire un
livre? » — « En t'appliquant. » — « N'importe qui
peut donc écrire? » — « N'importe qui, mais c'est toi
que j'ai choisi. » Ce truquage était bien commode :
il me permettait de proclamer mon insignifiance et
simultanément de vénérer en moi l'auteur de chefs-
d'œuvre futurs. J'étais élu, marqué mais sans
talent : tout viendrait de ma longue patience et de
mes malheurs; je me déniais toute singularité : les
traits de caractère engoncent; je n'étais fidèle à
rien sauf à l'engagement royal qui me conduisait à
la gloire par les supplices. Ces supplices, restait à
les trouver; c'était l'unique problème mais qui
paraissait insoluble puisqu'on m'avait ôté l'espoir
de vivre misérable : obscur ou fameux, j'émargerais
au budget de l'Enseignement, je n'aurais jamais
faim. Je me promis d'atroces chagrins d'amour mais
sans enthousiasme : je détestais les amants transis;
Cyrano me scandalisait, ce faux Pardaillan qui bêti-
fiait devant les femmes : le vrai traînait tous les
cœurs après soi sans même y prendre garde; il est
juste de dire que la mort de Violetta, son amante,
lui avait percé le cœur à jamais. Un veuvage, une
plaie inguérissable : à cause, à cause d'une femme
mais non point par sa faute; cela me permettrait
de repousser les avances de toutes les autres. A
creuser. Mais, de toute manière, en admettant que
ma jeune épouse aurillacienne disparût dans un
accident, ce malheur ne suffirait pas à m'élire : il

était à la fois fortuit et trop commun. Ma furie
vint à bout de tout; moqués, battus, certains auteurs
avaient jusqu'au dernier soupir croupi dans l'op-
probre et la nuit, la gloire n'avait couronné que
leurs cadavres : voilà ce que je serais. J'écrirais sur
Aurillac et sur ses statues, consciencieusement.
Incapable de haine, je ne viserais qu'à réconcilier,
qu'à servir. Pourtant, à peine paru, mon premier
livre déchaînerait le scandale, je deviendrais un
ennemi public : insulté par les journaux auver-
gnats, les commerçants refuseraient de me servir,
des exaltés jetteraient des pierres dans mes carreaux; pour échapper au lynchage il me faudrait
fuir. D'abord foudroyé, je passerais des mois dans
l'imbécillité, répétant sans cesse : « Ce n'est qu'un
malentendu, voyons! Puisque tout le monde est
bon! » Et ce ne serait en effet qu'un malentendu
mais le Saint-Esprit ne permettrait pas qu'il se dis-
sipât. Je guérirais; un jour, je m'assiérais à ma
table et j'écrirais un nouveau livre : sur la mer ou
sur la montagne. Celui-là ne trouverait pas d'éditeur. Poursuivi, déguisé, proscrit peut-être, j'en
ferais d'autres, beaucoup d'autres, je traduirais
Horace en vers, j'exposerais des idées modestes et
toutes raisonnables sur la pédagogie. Rien à faire :
mes cahiers s'empileraient dans une malle, inédits.

L'histoire avait deux conclusions; je choisissais
l'une ou l'autre suivant mon humeur. Dans mes
jours maussades, je me voyais mourir sur un lit de
fer, haï de tous, désespéré, à l'heure même où la
Gloire embouchait sa trompette. D'autres fois je
m'accordais un peu de bonheur. A cinquante ans,
pour essayer une plume neuve, j'écrivais mon nom

sur un manuscrit qui, peu après, s'égarait. Quelqu'un le trouvait, dans un grenier, dans le ruisseau, dans un placard de la maison que je venais de quitter, il le lisait, le portait bouleversé chez Arthème Fayard, le célèbre éditeur de Michel Zévaco. C'était le triomphe : dix mille exemplaires enlevés en deux jours. Que de remords dans les cœurs. Cent reporters se lançaient à ma recherche et ne me trouvaient pas. Reclus, j'ignorais longtemps ce revirement d'opinion. Un jour, enfin, j'entre dans un café pour m'abriter de la pluie, j'avise une gazette qui traîne et que vois-je? « Jean-Paul Sartre, l'écrivain masqué, le chantre d'Aurillac, le poète de la mer. » A la trois, sur six colonnes, en capitales. J'exulte. Non : je suis voluptueusement mélancolique. En tout cas je rentre chez moi, je ferme et ficelle, avec l'aide de ma logeuse, la malle aux cahiers et je l'expédie chez Fayard sans donner mon adresse. A ce moment de mon récit, je m'interrompais pour me lancer dans des combinaisons délicieuses : si j'envoyais le colis de la ville même où je résidais, les journalistes auraient tôt fait de découvrir ma retraite. J'emportais donc la malle à Paris, je la faisais déposer par un commissionnaire à la maison d'éditions; avant de prendre le train, je retournais aux lieux de mon enfance, rue Le Goff, rue Soufflot, au Luxembourg. Le Balzar m'attirait; je me rappelais que mon grand-père — mort depuis — m'y avait amené quelquefois, en 1913 : nous nous asseyions côte à côte sur la banquette, tout le monde nous regardait d'un air de connivence, il commandait un bock et, pour moi, un galopin de bière, je me sentais aimé. Donc,

quinquagénaire et nostalgique, je poussais la porte
de la brasserie et je me faisais servir un galopin.
A la table voisine des femmes jeunes et belles parlaient avec vivacité, prononçaient mon nom. « Ah!
disait l'une d'elles, il se peut qu'il soit vieux, qu'il
soit laid mais qu'importe : je donnerais trente ans
de ma vie pour devenir son épouse! » Je lui adressais
un fier et triste sourire, elle me répondait par un
sourire étonné, je me levais, je disparaissais.

J'ai passé beaucoup de temps à fignoler cet épisode et cent autres que j'épargne au lecteur. On y
aura reconnu, projetée dans un monde futur, mon
enfance elle-même, ma situation, les inventions de
ma sixième année, les bouderies de mes paladins
méconnus. Je boudais encore, à neuf ans, et j'y prenais un plaisir extrême : par bouderie, je mainte-
nais, martyr inexorable, un malentendu dont le
Saint-Esprit lui-même semblait s'être lassé. Pourquoi ne pas dire mon nom à cette ravissante admi-
ratrice? Ah! me disais-je, elle vient trop tard. —
Mais puisqu'elle m'accepte de toute façon? — Eh
bien c'est que je suis trop pauvre. — Trop pauvre!
Et les droits d'auteur? Cette objection ne m'arrêtait pas : j'avais écrit à Fayard de distribuer aux
pauvres l'argent qui me revenait. Il fallait pourtant
conclure : eh bien! je m'éteignais dans ma cham-
brette, abandonné de tous mais serein : mission
remplie.

Une chose me frappe dans ce récit mille fois
répété : du jour où je vois mon nom sur le journal,
un ressort se brise, je suis fini; je jouis tristement
de mon renom mais je n'écris plus. Les deux
dénouements ne font qu'un : que je meure pour

naître à la gloire, que la gloire vienne d'abord et me tue, l'appétit d'écrire enveloppe un refus de vivre. Vers cette époque une anecdote m'avait troublé, lue je ne sais où : c'est au siècle dernier; dans une halte sibérienne un écrivain fait les cent pas en attendant le train. Pas une masure à l'horizon, pas une âme en vie. L'écrivain a de la peine à porter sa grosse tête morose. Il est myope, célibataire, grossier, toujours furieux; il s'ennuie, il pense à sa prostate, à ses dettes. Surgit une jeune comtesse, dans son coupé, sur la route qui longe les rails : elle saute de la voiture, court au voyageur qu'elle n'a jamais vu mais prétend reconnaître d'après un daguerréotype qu'on lui a montré, elle s'incline, lui prend la main droite et la baise. L'histoire s'arrêtait là et je ne sais pas ce qu'elle veut nous faire entendre. A neuf ans j'étais émerveillé que cet auteur bougon se trouvât des lectrices dans la steppe et qu'une si belle personne vînt lui rappeler la gloire qu'il avait oubliée : c'était naître. Plus au fond, c'était mourir : je le sentais, je le voulais ainsi; un roturier vivant ne pouvait recevoir d'une aristocrate pareil témoignage d'admiration. La comtesse semblait lui dire : « Si j'ai pu venir à vous et vous toucher, c'est qu'il n'est même plus besoin de maintenir la supériorité du rang; je ne me soucie pas de ce que vous penserez de mon geste, je ne vous tiens plus pour un homme mais pour le symbole de votre œuvre. » Tué par un baise-main : à mille verstes de Saint-Pétersbourg, à cinquante-cinq ans de sa naissance, un voyageur prenait feu, sa gloire le consumait, ne laissait de lui, en lettres de flammes, que le catalogue de ses

œuvres. Je voyais la comtesse remonter dans son
coupé, disparaître, et la steppe retomber dans la
solitude; au crépuscule, le train brûlait la halte
pour rattraper son retard, je sentais, au creux des
reins, le frisson de la peur, je me rappelais *Du vent
dans les arbres* et je me disais : « La Comtesse,
c'était la mort. » Elle viendrait : un jour, sur une
route déserte, elle baiserait mes doigts.

La mort était mon vertige parce que je n'aimais
pas vivre : c'est ce qui explique la terreur qu'elle
m'inspirait. En l'identifiant à la gloire, j'en fis ma
destination. Je voulus mourir; parfois l'horreur
glaçait mon impatience : jamais longtemps; ma joie
sainte renaissait, j'attendais l'instant de foudre où
je flamberais jusqu'à l'os. Nos intentions profondes
sont des projets et des fuites inséparablement liés :
l'entreprise folle d'écrire pour me faire pardonner
mon existence, je vois bien qu'elle avait, en dépit
des vantardises et des mensonges, quelque réalité :
la preuve en est que j'écris encore, cinquante ans
après. Mais, si je remonte aux origines, j'y vois une
fuite en avant, un suicide à la Gribouille; oui, plus
que l'épopée, plus que le martyre, c'était la mort
que je cherchais. Longtemps j'avais redouté de finir
comme j'avais commencé, n'importe où, n'importe
comment, et que ce vague trépas ne fût que le reflet
de ma vague naissance. Ma vocation changea tout :
les coups d'épée s'envolent, les écrits restent, je
découvris que le Donateur, dans les Belles-Lettres,
peut se transformer en son propre Don, c'est-à-dire
en objet pur. Le hasard m'avait fait homme, la
générosité me ferait livre; je pourrais couler ma
babillarde, ma conscience, dans des caractères de

bronze, remplacer les bruits de ma vie par des ins-
criptions ineffaçables, ma chair par un style, les
molles spirales du temps par l'éternité, apparaître
au Saint-Esprit comme un précipité du langage,
devenir une obsession pour l'espèce, être *autre*
enfin, autre que moi, autre que les autres, autre
que tout. Je commencerais par me donner un corps
inusable et puis je me livrerais aux consommateurs.
Je n'écrirais pas pour le plaisir d'écrire mais pour
tailler ce corps de gloire dans les mots. A la considérer du haut de ma tombe, ma naissance m'apparut comme un mal nécessaire, comme une incarnation tout à fait provisoire qui préparait ma
transfiguration : pour renaître il fallait écrire, pour
écrire il fallait un cerveau, des yeux, des bras; le
travail terminé, ces organes se résorberaient d'eux-
mêmes : aux environs de 1955, une larve éclaterait,
vingt-cinq papillons in-folio s'en échapperaient,
battant de toutes leurs pages pour s'aller poser sur
un rayon de la Bibliothèque Nationale. Ces papillons ne seraient autres que moi. Moi : vingt-cinq
tomes, dix-huit mille pages de texte, trois cents
gravures dont le portrait de l'auteur. Mes os sont
de cuir et de carton, ma chair parcheminée sent
la colle et le champignon, à travers soixante kilos
de papier je me carre, tout à l'aise. Je renais, je
deviens enfin tout un homme, pensant, parlant,
chantant, tonitruant, qui s'affirme avec l'inertie
péremptoire de la matière. On me prend, on
m'ouvre, on m'étale sur la table, on me lisse du
plat de la main et parfois on me fait craquer. Je
me laisse faire et puis tout à coup je fulgure,
j'éblouis, je m'impose à distance, mes pouvoirs tra-

versent l'espace et le temps, foudroient les
méchants, protègent les bons. Nul ne peut m'oublier, ni me passer sous silence : je suis un grand
fétiche maniable et terrible. Ma conscience est en
miettes : tant mieux. D'autres consciences m'ont
pris en charge. On *me* lit, je saute aux yeux; on *me*
parle, je suis dans toutes les bouches, langue universelle et singulière; dans des millions de regards
je me fais curiosité prospective; pour celui qui
sait m'aimer, je suis son inquiétude la plus intime
mais, s'il veut me toucher, je m'efface et disparais :
je n'existe plus nulle part, je *suis*, enfin! je suis
partout : parasite de l'humanité, mes bienfaits la
rongent et l'obligent sans cesse à ressusciter mon
absence.

Ce tour de passe-passe réussit : j'ensevelis la mort
dans le linceul de la gloire, je ne pensai plus qu'à
celle-ci, jamais à celle-là, sans m'aviser que les deux
n'étaient qu'une. A l'heure où j'écris ces lignes, je
sais que j'ai fait mon temps à quelques années près.
Or je me représente clairement, sans trop de gaîté,
la vieillesse qui s'annonce et ma future décrépitude,
la décrépitude et la mort de ceux que j'aime; ma
mort, jamais. Il m'arrive de laisser entendre à mes
proches — dont certains ont quinze, vingt,
trente ans de moins que moi — combien je regret-
terai de leur survivre : ils me moquent et je ris
avec eux mais rien n'y fait, rien n'y fera : à
l'âge de neuf ans, une opération m'a ôté les
moyens d'éprouver un certain pathétique qu'on
dit propre à notre condition. Dix ans plus tard,
à l'Ecole Normale, ce pathétique réveillait en
sursaut, dans l'épouvante ou dans la rage, quel-

ques-uns de mes meilleurs amis : je ronflais comme
un sonneur. Après une grave maladie, l'un d'eux
nous assurait qu'il avait connu les affres de
l'agonie, jusqu'au dernier soupir inclusivement;
Nizan était le plus obsédé : parfois, en pleine veille,
il se voyait cadavre; il se levait, les yeux grouillants
de vers, prenait en tâtonnant son Borsalino à coiffe
ronde, disparaissait; on le retrouvait le surlendemain, saoul, avec des inconnus. Quelquefois, dans
une turne, ces condamnés se racontaient leurs nuits
blanches, leurs expériences anticipées du néant : ils
s'entendaient au quart de mot. Je les écoutais, je
les aimais assez pour souhaiter passionnément leur
ressembler, mais j'avais beau faire, je ne saisissais
et je ne retenais que des lieux communs d'enterrement : on vit, on meurt, on ne sait ni qui vit ni
qui meurt; une heure avant la mort, on est encore
vivant. Je ne doutais pas qu'il y eût dans leur
propos un sens qui m'échappait; je me taisais,
jaloux, en exil. A la fin, ils se tournaient vers moi,
agacés d'avance : « Toi, ça te laisse froid? » J'écartais les bras en signe d'impuissance et d'humilité.
Ils riaient de colère, éblouis par la foudroyante
évidence qu'ils n'arrivaient pas à me communi-
quer : « Tu ne t'es jamais dit en t'endormant qu'il
y avait des gens qui mouraient pendant leur sommeil? Tu n'as jamais pensé, en te brossant les
dents : cette fois ça y est, c'est mon dernier jour?
Tu n'as jamais senti qu'il fallait aller vite, vite, vite
et que le temps manquait? Tu te crois immortel? »
Je répondais, moitié par défi, moitié par entraînement : « C'est ça : je me crois immortel. » Rien
n'était plus faux : je m'étais prémuni contre les

décès accidentels, voilà tout; le Saint-Esprit m'avait
commandé un ouvrage de longue haleine, il fallait
bien qu'il me laissât le temps de l'accomplir. Mort
d'honneur, c'était ma mort qui me protégeait contre
les déraillements, les congestions, la péritonite :
nous avions pris date, elle et moi; si je me présen-
tais au rendez-vous trop tôt, je ne l'y trouverais
pas; mes amis pouvaient bien me reprocher de ne
jamais penser à elle : ils ignoraient que je ne cessais pas une minute de la vivre.

Aujourd'hui, je leur donne raison : ils avaient
tout accepté de notre condition, même l'inquiétude;
j'avais choisi d'être rassuré; et c'était bien vrai,
au fond, que je me croyais immortel : je m'étais
tué d'avance parce que les défunts sont seuls à jouir
de l'immortalité. Nizan et Maheu savaient qu'ils
feraient l'objet d'une agression sauvage, qu'on les
arracherait du monde tout vifs, pleins de sang. Moi,
je me mentais : pour ôter à la mort sa barbarie,
j'en avais fait mon but et de ma vie l'unique
moyen connu de mourir : j'allais doucement vers
ma fin, n'ayant d'espoirs et de désirs que ce qu'il
en fallait pour remplir mes livres, sûr que le
dernier élan de mon cœur s'inscrirait sur la dernière page du dernier tome de mes œuvres et que
la mort ne prendrait qu'un mort. Nizan regardait,
à vingt ans, les femmes et les autos, tous les biens
de ce monde avec une précipitation désespérée :
il fallait tout voir, tout prendre tout de suite. Je
regardais aussi, mais avec plus de zèle que de
convoitise : je n'étais pas sur terre pour jouir mais
pour faire un bilan. C'était un peu trop commode :
par timidité d'enfant trop sage, par lâcheté, j'avais

reculé devant les risques d'une existence ouverte,
libre et sans garantie providentielle, je m'étais persuadé que tout était écrit d'avance, mieux encore,
révolu.

Evidemment cette opération frauduleuse m'épar-
gnait la tentation de m'aimer. Menacé d'abolition,
chacun de mes amis se barricadait dans le présent,
découvrait l'irremplaçable qualité de sa vie mor-
telle et se jugeait touchant, précieux, unique;
chacun se plaisait à soi-même; moi, le mort, je ne
me plaisais pas : je me trouvais très ordinaire, plus
ennuyeux que le grand Corneille et ma singularité
de sujet n'offrait d'autre intérêt à mes yeux que
de préparer le moment qui me changerait en objet.
En étais-je plus modeste? Non mais plus rusé : je
chargeais mes descendants de m'aimer à ma place;
pour des hommes et des femmes qui n'étaient pas
encore nés, j'aurais un jour du charme, un je ne
sais quoi, je ferais leur bonheur. J'avais plus de
malice encore et plus de sournoiserie : cette vie
que je trouvais fastidieuse et dont je n'avais su
faire que l'instrument de ma mort, je revenais sur
elle en secret pour la sauver; je la regardais à travers des yeux futurs et elle m'apparaissait comme
une histoire touchante et merveilleuse que j'avais
vécue pour tous, que nul, grâce à moi, n'avait plus
à revivre et qu'il suffirait de raconter. J'y mis une
véritable frénésie : je choisis pour avenir un passé
de grand mort et j'essayai de vivre à l'envers. Entre
neuf et dix ans, je devins tout à fait posthume.

Ce n'est pas entièrement ma faute : mon grand-
père m'avait élevé dans l'illusion rétrospective.
Lui non plus, d'ailleurs, il n'est pas coupable et je

suis loin de lui en vouloir : ce mirage-là naît
spontanément de la culture. Quand les témoins ont
disparu, le décès d'un grand homme cesse à jamais
d'être un coup de foudre, le temps en fait un trait
de caractère. Un vieux défunt est mort par consti-
tution, il l'est au baptême ni plus ni moins qu'à
l'extrême-onction, sa vie nous appartient, nous y
entrons par un bout, par l'autre, par le milieu, nous
en descendons, nous en remontons le cours à
volonté : c'est que l'ordre chronologique a sauté;
impossible de le restituer : ce personnage ne court
plus aucun risque et n'attend même plus que les
chatouillements de sa narine aboutissent à la ster-
nutation. Son existence offre les apparences d'un
déroulement mais, dès qu'on veut lui rendre un
peu de vie, elle retombe dans la simultanéité. Vous
aurez beau vous mettre à la place du disparu,
feindre de partager ses passions, ses ignorances, ses
préjugés, ressusciter des résistances abolies, un
soupçon d'impatience ou d'appréhension, vous ne
pourrez vous défendre d'apprécier sa conduite à la
lumière de résultats qui n'étaient pas prévisibles et
de renseignements qu'il ne possédait pas, ni de
donner une solennité particulière à des événements
dont les effets plus tard l'ont marqué mais qu'il a
vécus négligemment. Voilà le mirage : l'avenir plus
réel que le présent. Cela n'étonnera pas : dans une
vie terminée, c'est la fin qu'on tient pour la vérité
du commencement. Le défunt reste à mi-chemin
entre l'être et la valeur, entre le fait brut et la
reconstruction; son histoire devient une manière
d'essence circulaire qui se résume en chacun de ses
moments. Dans les salons d'Arras, un jeune avocat

froid et minaudier porte sa tête sous son bras parce
qu'il est feu Robespierre, cette tête dégoutte de
sang mais ne tache pas le tapis; pas un des convives
ne la remarque et nous ne voyons qu'elle; il s'en
faut de cinq ans qu'elle ait roulé dans le panier et
pourtant la voilà, coupée, qui dit des madrigaux
malgré sa mâchoire qui pend. Reconnue, cette
erreur d'optique ne gêne pas : on a les moyens de
la corriger; mais les clercs de l'époque la mas-
quaient, ils en nourrissaient leur idéalisme. Quand
une grande pensée veut naître, insinuaient-ils, elle
va réquisitionner dans un ventre de femme le grand
homme qui la portera; elle lui choisit sa condition,
son milieu, elle dose exactement l'intelligence et
l'incompréhension de ses proches, règle son éduca-
tion, le soumet aux épreuves nécessaires, lui
compose par touches successives un caractère ins-
table dont elle gouverne les déséquilibres jusqu'à
ce que l'objet de tant de soins éclate en accouchant
d'elle. Cela n'était nulle part déclaré mais tout
suggérait que l'enchaînement des causes couvre un
ordre inverse et secret.

J'usai de ce mirage avec enthousiasme pour
achever de garantir mon destin. Je pris le temps,
je le mis cul par-dessus tête et tout s'éclaira. Cela
commença par un petit livre bleu de nuit avec des
chamarrures d'or un peu noircies, dont les feuilles
épaisses sentaient le cadavre et qui s'intitulait :
L'Enfance des hommes illustres; une étiquette
attestait que mon oncle Georges l'avait reçu en
1885, à titre de second prix d'arithmétique. Je
l'avais découvert, au temps de mes voyages excen-
triques, feuilleté puis rejeté par agacement : ces

jeunes élus ne ressemblaient en rien à des enfants
prodiges; ils ne se rapprochaient de moi que par
la fadeur de leurs vertus et je me demandais bien
pourquoi l'on parlait d'eux. Finalement le livre
disparut : j'avais décidé de le punir en le cachant.
Un an plus tard, je bouleversai tous les rayons pour
le retrouver : j'avais changé, l'enfant prodige était
devenu grand homme en proie à l'enfance. Quelle
surprise : le livre avait changé lui aussi. C'étaient
les mêmes mots mais ils me parlaient de moi. Je
pressentis que cet ouvrage allait me perdre, je le
détestai, j'en eus peur. Chaque jour, avant de
l'ouvrir, j'allais m'asseoir contre la fenêtre : en
cas de danger, je ferais entrer dans mes yeux la
vraie lumière du jour. Ils me font bien rire, aujour-
d'hui, ceux qui déplorent l'influence de Fantômas
ou d'André Gide : croit-on que les enfants ne choi-
sissent pas leurs poisons eux-mêmes? J'avalais le
mien avec l'anxieuse austérité des drogués. Il
paraissait bien inoffensif, pourtant. On encourageait les jeunes lecteurs : la sagesse et la piété
filiale mènent à tout, même à devenir Rembrandt
ou Mozart; on retraçait dans de courtes nouvelles
les occupations très ordinaires de garçons non
moins ordinaires mais sensibles et pieux qui s'appelaient Jean-Sébastien, Jean-Jacques ou Jean-Baptiste
et qui faisaient le bonheur de leurs proches comme
je faisais celui des miens. Mais voici le venin : sans
jamais prononcer le nom de Rousseau, de Bach ni
de Molière, l'auteur mettait son art à placer partout
des allusions à leur future grandeur, à rappeler
négligemment, par un détail, leurs œuvres ou leurs
actions les plus fameuses, à machiner si bien ses

récits qu'on ne pût comprendre l'incident le plus
banal sans le rapporter à des événements postérieurs; dans le tumulte quotidien il faisait descendre un grand silence fabuleux, qui transfigurait
tout : l'avenir. Un certain Sanzio mourait d'envie
de voir le pape; il faisait si bien qu'on le menait
sur la place publique un jour que le Saint-Père
passait par là; le gamin pâlissait, écarquillait les
yeux, on lui disait enfin : « Je pense que tu es
content, Raffaello? L'as-tu bien regardé, au moins,
notre Saint-Père? » Mais il répondait, hagard :
« Quel Saint-Père? Je n'ai vu que des couleurs! »
Un autre jour le petit Miguel, qui voulait embrasser
la carrière des armes, assis sous un arbre, se délec-
tait d'un roman de chevalerie quand, tout à coup,
un tonnerre de ferraille le faisait sursauter : c'était
un vieux fou du voisinage, un hobereau ruiné qui
caracolait sur une haridelle et pointait sa lance
rouillée contre un moulin. Au dîner, Miguel racontait l'incident avec des mines si drôles et si gentilles
qu'il donnait le fou rire à tout le monde; mais,
plus tard, seul dans sa chambre, il jetait son roman
sur le sol, le piétinait, sanglotait longuement.

Ces enfants vivaient dans l'erreur : ils croyaient
agir et parler au hasard quand leurs moindres
propos avaient pour but réel d'annoncer leur
Destin. L'auteur et moi nous échangions des sourires attendris par-dessus leurs têtes; je lisais la vie
de ces faux médiocres comme Dieu l'avait conçue :
en commençant par la fin. D'abord, je jubilais :
c'étaient mes frères, leur gloire serait la mienne.
Et puis tout basculait : je me retrouvais de l'autre
côté de la page, *dans le livre* : l'enfance de Jean-

Paul ressemblait à celles de Jean-Jacques et de
Jean-Sébastien et rien ne lui arrivait qui ne fût
largement prémonitoire. Seulement, cette fois-ci,
c'était à mes petits-neveux que l'auteur faisait des
clins d'œil. Moi, j'étais vu, de la mort à la naissance, par ces enfants futurs que je n'imaginais pas
et je n'arrêtais pas de leur envoyer des messages
indéchiffrables pour moi. Je frissonnais, transi par
ma mort, sens véritable de tous mes gestes, dépos-
sédé de moi-même, j'essayais de retraverser la page
en sens inverse et de me retrouver du côté des
lecteurs, je levais la tête, je demandais secours à
la lumière : or *cela aussi*, c'était un message; cette
inquiétude soudaine, ce doute, ce mouvement des
yeux et du cou, comment les interpréterait-on, en
2013, quand on aurait les deux clés qui devaient
m'ouvrir, l'œuvre et le trépas? Je ne pus sortir du
livre : j'en avais depuis longtemps terminé la lecture mais j'en restais un personnage. Je m'épiais :
une heure plus tôt j'avais babillé avec ma mère :
qu'avais-je annoncé? Je me rappelais quelques-uns
de mes propos, je les répétais à voix haute, cela ne
m'avançait pas. Les phrases glissaient, impénétrables; à mes propres oreilles ma voix résonnait
comme une étrangère, un ange filou me piratait
mes pensées jusque dans ma tête et cet ange n'était
autre qu'un blondinet du xxx° siècle, assis contre
une fenêtre, qui m'observait à travers un livre. Avec
une amoureuse horreur, je sentais son regard
m'épingler à mon millénaire. Pour lui je me tru-
quai : je fabriquai des mots à double sens que je
lâchais en public. Anne-Marie me trouvait à mon
pupitre, gribouillant, elle disait : « Comme il fait

sombre! Mon petit chéri se crève les yeux. » C'était
l'occasion de répondre en toute innocence : « Même
dans le noir je pourrais écrire. » Elle riait, m'appelait petit sot, donnait de la lumière, le tour était
joué, nous ignorions l'un et l'autre que je venais
d'informer l'an trois mille de ma future infirmité.
En effet, sur la fin de ma vie, plus aveugle encore
que Beethoven ne fût sourd, je confectionnerais à
tâtons mon dernier ouvrage : on retrouverait le
manuscrit dans mes papiers, les gens diraient,
déçus : « Mais c'est illisible! » Il serait même
question de le jeter à la poubelle. Pour finir la
Bibliothèque municipale d'Aurillac le réclamerait
par piété pure, il y resterait cent ans, oublié. Et
puis, un jour, pour l'amour de moi, de jeunes
érudits tenteraient de le déchiffrer : ils n'auraient
pas trop de toute leur vie pour reconstituer ce qui,
naturellement, serait mon chef-d'œuvre. Ma mère
avait quitté la pièce, j'étais seul, je répétais pour
moi-même, lentement, sans y penser, surtout :
« Dans le noir! » Il y avait un claquement sec :
mon arrière-petit-neveu, là-haut, fermait son livre :
il rêvait à l'enfance de son arrière-grand-oncle et
des larmes roulaient sur ses joues : « C'est pourtant
vrai, soupirait-il, il a écrit dans les ténèbres! »

Je paradais devant des enfants à naître qui me
ressemblaient trait pour trait, je me tirais des
larmes en évoquant celles que je leur ferais verser.
Je voyais ma mort par leurs yeux; elle avait eu
lieu, c'était ma vérité : je devins ma notice nécro-
logique.

Après avoir lu ce qui précède, un ami me considéra d'un air inquiet : « Vous étiez, me dit-il,

encore plus atteint que je n'imaginais. » Atteint?
Je ne sais trop. Mon délire était manifestement
travaillé. A mes yeux, la question principale serait
plutôt celle de la sincérité. A neuf ans, je restais
en deçà d'elle; ensuite j'allai bien au-delà.

Au début, j'étais sain comme l'œil : un petit
truqueur qui savait s'arrêter à temps. Mais je
m'appliquais : jusque dans le bluff, je restais un
fort en thème; je tiens aujourd'hui mes batelages
pour des exercices spirituels et mon insincérité
pour la caricature d'une sincérité totale qui me
frôlait sans cesse et m'échappait. Je n'avais pas
choisi ma vocation : d'autres me l'avaient imposée.
En fait il n'y avait rien eu : des mots en l'air, jetés
par une vieille femme, et le machiavélisme de
Charles. Mais il suffisait que je fusse convaincu. Les
grandes personnes, établies dans mon âme, mon-
traient du doigt mon étoile; je ne la voyais pas
mais je voyais le doigt, je croyais en elles qui
prétendaient croire en moi. Elles m'avaient appris
l'existence de grands morts — un d'eux futur —
Napoléon, Thémistocle, Philippe-Auguste, Jean-
Paul Sartre. Je n'en doutais pas : c'eût été douter
d'elles. Le dernier, simplement, j'eusse aimé le rencontrer face à face. Je béais, je me contorsionnais
pour provoquer l'intuition qui m'eût comblé, j'étais
une femme froide dont les convulsions sollicitent
puis tentent de remplacer l'orgasme. La dira-t-on
simulatrice ou juste un peu trop appliquée? De
toute façon je n'obtenais rien, j'étais toujours avant
ou après l'impossible vision qui m'aurait découvert
à moi-même et je me retrouvais, à la fin de mes
exercices, douteux et n'ayant rien gagné sauf

quelques beaux énervements. Fondé sur le principe
d'autorité, sur l'indéniable bonté des grandes personnes, rien ne pouvait confirmer ni démentir mon
mandat : hors d'atteinte, cacheté, il restait en moi
mais m'appartenait si peu que je n'avais jamais
pu, fût-ce un instant, le mettre en doute, que j'étais
incapable de le dissoudre et de l'assimiler.

Même profonde, jamais la foi n'est entière. Il
faut la soutenir sans cesse ou, du moins, s'empêcher
de la ruiner. J'étais voué, illustre, *j'avais* ma tombe
au Père-Lachaise et peut-être au Panthéon, mon
avenue à Paris, mes squares et mes places en pro-
vince, à l'étranger : pourtant, au cœur de l'optimisme, invisible, innommé, je gardais le soupçon
de mon inconsistance. A Sainte-Anne, un malade
criait de son lit : « Je suis prince! Qu'on mette
le Grand-Duc aux arrêts. » On s'approchait, on lui
disait à l'oreille : « Mouche-toi! » et il se mouchait;
on lui demandait : « Quel est ton métier? », il
répondait doucement : « Cordonnier » et repartait
à crier. Nous ressemblons tous à cet homme, j'ima-
gine; en tout cas, moi, au début de ma neu-
vième année, je lui ressemblais : j'étais prince et
cordonnier.

Deux ans plus tard on m'eût donné pour guéri :
le prince avait disparu, le cordonnier ne croyait
à rien, je n'écrivais même plus; jetés à la poubelle,
égarés ou brûlés, les cahiers de roman avaient fait
place à ceux d'analyse logique, de dictées, de calcul.
Si quelqu'un se fût introduit dans ma tête ouverte
à tous les vents, il y eût rencontré quelques bustes,
une table de multiplication aberrante et la règle
de trois, trente-deux départements avec chefs-

lieux mais sans sous-préfectures, une rose appelée
rosarosarosamrosærosærosa, des monuments histo-
riques et littéraires, quelques maximes de civilité
gravées sur des stèles et parfois, écharpe de brume
traînant sur ce triste jardin, une rêverie sadique.
D'orpheline, point. De preux, pas trace. Les mots
de héros, de martyr et de saint n'étaient inscrits
nulle part, répétés par nulle voix. L'ex-Pardaillan
recevait tous les trimestres des bulletins de santé
satisfaisants : enfant d'intelligence moyenne et
d'une grande moralité, peu doué pour les sciences
exactes, imaginatif sans excès, sensible; normalité
parfaite en dépit d'un certain maniérisme d'ailleurs
en régression. Or j'étais devenu tout à fait fou.
Deux événements, l'un public et l'autre privé,
m'avaient soufflé le peu de raison qui me restait.
   Le premier fut une véritable surprise : au mois
de juillet 14, on comptait encore quelques
méchants; mais le 2 août, brusquement, la vertu
prit le pouvoir et régna : tous les Français devin-
rent bons. Les ennemis de mon grand-père se
jetaient dans ses bras, des éditeurs s'engagèrent,
le menu peuple prophétisait : nos amis recueil-
laient les grandes paroles simples de leur concierge,
du facteur, du plombier, et nous les rapportaient,
tout le monde se récriait, sauf ma grand-mère,
décidément suspecte. J'étais ravi : la France me
donnait la comédie, je jouai la comédie pour la
France. Pourtant la guerre m'ennuya vite : elle
dérangeait si peu ma vie que je l'eusse oubliée sans
doute; mais je la pris en dégoût lorsque je
m'aperçus qu'elle ruinait mes lectures. Mes publications préférées disparurent des kiosques à jour-

naux; Arnould Galopin, Jo Valle, Jean de la Hire
abandonnèrent leurs héros familiers, ces adolescents, mes frères, qui faisaient le tour du monde
en biplan, en hydravion, et qui luttaient à deux ou
trois contre cent; les romans colonialistes de
l'avant-guerre cédèrent la place aux romans guer-
riers, peuplés de mousses, de jeunes Alsaciens et
d'orphelins, mascottes de régiment. Je détestais
ces nouveaux venus. Les petits aventuriers de la
jungle, je les tenais pour des enfants prodiges parce
qu'ils massacraient des indigènes qui, après tout,
sont des adultes : enfant prodige moi-même, en
eux je me reconnaissais. Mais, ces enfants de troupe,
tout se passait en dehors d'eux. L'héroïsme individuel vacilla : contre les sauvages il était soutenu
par la supériorité de l'armement; contre les canons
des Allemands que faire? Il fallait d'autres canons,
des artilleurs, une armée. Au milieu des courageux
poilus qui lui flattaient la tête et qui le protégeaient, l'enfant prodige retombait en enfance; j'y
retombais avec lui. De temps en temps, l'auteur,
par pitié, me chargeait de porter un message, les
Allemands me capturaient, j'avais quelques fières
ripostes et puis je m'évadais, je regagnais nos lignes
et je m'acquittais de ma mission. On me félicitait,
bien sûr, mais sans véritable enthousiasme et je ne
retrouvais pas dans les yeux paternels du général
le regard ébloui des veuves et des orphelins.
J'avais perdu l'initiative : on gagnait les batailles,
on gagnerait la guerre sans moi; les grandes personnes reprenaient le monopole de l'héroïsme, il
m'arrivait de ramasser le fusil d'un mort et de tirer
quelques coups, mais jamais Arnould Galopin ni

Jean de la Hire ne m'ont permis de charger à la
baïonnette. Héros apprenti, j'attendais avec impatience d'avoir l'âge de m'engager. Ou plutôt non :
c'était l'enfant de troupe qui attendait, c'était
l'orphelin d'Alsace. Je me retirais d'eux, je fermais
la brochure. Ecrire, ce serait un long travail ingrat,
je le savais, j'aurais toutes les patiences. Mais la
lecture, c'était une fête : je voulais toutes les gloires
tout de suite. Et quel avenir m'offrait-on? Soldat?
La belle affaire! Isolé, le poilu ne comptait pas
plus qu'un enfant. Il montait à l'assaut avec les
autres et c'était le régiment qui gagnait la bataille.
Je ne me souciais pas de participer à des victoires
communautaires. Quand Arnould Galopin voulait
distinguer un militaire il ne trouvait rien de mieux
que de l'envoyer au secours d'un capitaine blessé.
Ce dévouement obscur m'agaçait : l'esclave sauvait
le maître. Et puis, ce n'était qu'une prouesse d'occasion : en temps de guerre, le courage est la chose
la mieux partagée; avec un peu de chance, tout
autre soldat en eût fait autant. J'enrageais : ce que
je préférais dans l'héroïsme d'avant-guerre, c'était
sa solitude et sa gratuité : je laissais derrière moi
les pâles vertus quotidiennes, j'inventais l'homme
à moi tout seul, par générosité; *Le Tour du Monde
en Hydravion, Les Aventures d'un gamin de Paris,
Les Trois Boy-scouts,* tous ces textes sacrés me
guidaient sur le chemin de la mort et de la résurrection. Et voilà que, tout d'un coup, leurs auteurs
m'avaient trahi : ils avaient mis l'héroïsme à portée
de tous; le courage et le don de soi devenaient des
vertus quotidiennes; pis encore, on les ravalait au
rang des plus élémentaires devoirs. Le changement

du décor était à l'image de cette métamorphose :
les brumes collectives de l'Argonne avaient rem-
placé le gros soleil unique et la lumière individua-
liste de l'Equateur.

Après une interruption de quelques mois, je
résolus de reprendre la plume pour écrire un roman
selon mon cœur et donner à ces Messieurs une
bonne leçon. C'était en octobre 14, nous n'avions
pas quitté Arcachon. Ma mère m'acheta des cahiers,
tous pareils; sur leur couverture mauve on avait
figuré Jeanne d'Arc casquée, signe des temps. Avec
la protection de la Pucelle, je commençai l'histoire
du soldat Perrin : il enlevait le Kaiser, le ramenait
ligoté dans nos lignes, puis, devant le régiment
rassemblé, le provoquait en combat singulier, le
terrassait, l'obligeait, le couteau sur la gorge, à
signer une paix infamante, à nous rendre l'Alsace-
Lorraine. Au bout d'une semaine mon récit
m'assomma. Le duel, j'en avais emprunté l'idée
à des romans de cape et d'épée : Stoerte-Becker
entrait, fils de famille et proscrit, dans une taverne
de brigands; insulté par un hercule, le chef de la
bande, il le tuait à coups de poings, prenait sa
place et ressortait, roi des truands, juste à temps
pour embarquer ses troupes sur un bateau-pirate.
Des lois immuables et strictes régissaient la cérémonie : il fallait que le champion du Mal passât
pour invincible, que celui du Bien se battît sous les
huées et que sa victoire inattendue glaçât d'effroi
les railleurs. Mais moi, dans mon inexpérience,
j'avais enfreint toutes les règles et fait le contraire
de ce que je souhaitais : pour costaud qu'il pût
être, le Kaiser n'était pas un gros bras, on savait

d'avance que Perrin, athlète magnifique, n'en ferait
qu'une bouchée. Et puis, le public lui était hostile,
nos poilus lui criaient leur haine : par un renver-
sement qui me laissa pantois, Guillaume II, criminel mais seul, couvert de quolibets et de crachats,
usurpa sous mes yeux le royal délaissement de mes
héros.

Il y avait bien pis. Jusqu'alors rien n'avait
confirmé ni démenti ce que Louise appelait mes
« élucubrations » : l'Afrique était vaste, lointaine,
sous-peuplée, les informations manquaient, personne n'était en mesure de prouver que mes explo-
rateurs ne s'y trouvaient pas, qu'ils ne faisaient pas
le coup de feu contre les Pygmées à l'heure même
où je racontais leur combat. Je n'allais pas jusqu'à
me prendre pour leur historiographe mais on
m'avait tant parlé de la vérité des œuvres roma-
nesques que je pensais dire le vrai à travers mes
fables, d'une manière qui m'échappait encore mais
qui sauterait aux yeux de mes futurs lecteurs. Or,
en ce mois d'octobre malencontreux, j'assistai,
impuissant, au télescopage de la fiction et de la
réalité : le Kaiser né de ma plume, vaincu, ordon-
nait le cessez-le-feu; il *fallait* donc en bonne
logique que notre automne vît le retour de la paix;
mais justement les journaux et les adultes répé-
taient matin et soir qu'on s'installait dans la guerre
et qu'elle allait durer. Je me sentis mystifié : j'étais
un imposteur, je racontais des sornettes que personne ne voudrait croire; bref je découvris l'imagination. Pour la première fois de ma vie je me relus.
Le rouge au front. C'était moi, *moi* qui m'étais
complu à ces fantasmes puérils? Il s'en fallut de

peu que je ne renonçasse à la littérature. Finalement j'emportai mon cahier sur la plage et je
l'ensevelis dans le sable. Le malaise se dissipa; je
repris confiance : j'étais voué sans aucun doute;
simplement, les Belles-Lettres avaient leur secret,
qu'elles me révéleraient un jour. En attendant,
mon âge me commandait une réserve extrême. Je
n'écrivis plus.

Nous revînmes à Paris. J'abandonnai pour toujours Arnould Galopin et Jean de la Hire : je ne
pouvais pardonner à ces opportunistes d'avoir eu
raison contre moi. Je boudai la guerre, épopée de
la médiocrité; aigri, je désertai l'époque et me
réfugiai dans le passé. Quelques mois plus tôt, à
la fin de 1913, j'avais découvert *Nick Carter,
Buffalo Bill, Texas Jack, Sitting Bull* : dès le
début des hostilités, ces publications disparurent :
mon grand-père prétendit que l'éditeur était allemand. Heureusement, on trouvait chez les reven-
deurs des quais la plupart des livraisons parues.
Je traînai ma mère sur les bords de la Seine, nous
entreprîmes de fouiller les boîtes une à une de la
gare d'Orsay à la gare d'Austerlitz : il nous arrivait
de rapporter quinze fascicules à la fois; j'en eus
bientôt cinq cents. Je les disposais en piles régu-
lières, je ne me lassais pas de les compter, de
prononcer à voix haute leurs titres mystérieux :
*Un crime en ballon, Le Pacte avec le Diable, Les
Esclaves du Baron Moutoushimi, La Résurrection
de Dazaar.* J'aimais qu'ils fussent jaunis, tachés,
racornis, avec une étrange odeur de feuilles
mortes : *c'étaient* des feuilles mortes, des ruines
puisque la guerre avait tout arrêté; je savais que

l'ultime aventure de l'homme à la longue chevelure me resterait pour toujours inconnue, que
j'ignorerais toujours la dernière enquête du roi des
détectives : ces héros solitaires étaient comme moi
victimes du conflit mondial et je les en aimais
davantage. Pour délirer de joie, il me suffisait de
contempler les gravures en couleurs qui ornaient
les couvertures. Buffalo Bill, à cheval, galopait
dans la prairie, tantôt poursuivant, tantôt fuyant
les Indiens. Je préférais les illustrations de Nick
Carter. On peut les trouver monotones : sur presque
toutes le grand détective assomme ou se fait matra-
quer. Mais ces rixes avaient lieu dans les rues de
Manhattan, terrains vagues, bordés de palissades
brunes ou de frêles constructions cubiques couleur
de sang séché : cela me fascinait, j'imaginais une
ville puritaine et sanglante dévorée par l'espace
et dissimulant à peine la savane qui la portait :
le crime et la vertu y étaient l'un et l'autre hors
la loi; l'assassin et le justicier, libres et souverains
l'un et l'autre, s'expliquaient le soir, à coups de
couteau. En cette cité comme en Afrique, sous le
même soleil de feu, l'héroïsme redevenait une
improvisation perpétuelle : ma passion pour New-
York vient de là.

J'oubliai conjointement la guerre et mon mandat.
Lorsqu'on me demandait : « Qu'est-ce que tu feras
quand tu seras grand? » je répondais aimablement,
modestement que j'écrirais, mais j'avais abandonné
mes rêves de gloire et les exercices spirituels. Grâce
à cela, peut-être, les années quatorze furent les
plus heureuses de mon enfance. Ma mère et moi
nous avions le même âge et nous ne nous quittions

pas. Elle m'appelait son chevalier servant, son petit homme; je lui disais tout. Plus que tout : rentrée, l'écriture se fit babil et ressortit par ma bouche : je décrivais ce que je voyais, ce qu'Anne-Marie voyait aussi bien que moi, les maisons, les arbres, les gens; je me donnais des sentiments pour le plaisir de lui en faire part, je devins un transformateur d'énergie : le monde usait de moi pour se faire parole. Cela commençait par un bavardage anonyme dans ma tête : quelqu'un disait : « Je marche, je m'assieds, je bois un verre d'eau, je mange une praline. » Je répétais à voix haute ce commentaire perpétuel : « Je marche, maman, je bois un verre d'eau, je m'assieds. » Je crus avoir deux voix dont l'une — qui m'appartenait à peine et ne dépendait pas de ma volonté — dictait à l'autre ses propos; je décidai que j'étais double. Ces troubles légers persistèrent jusqu'à l'été : ils m'épuisaient, je m'en agaçais et je finis par prendre peur. « Ça parle dans ma tête », dis-je à ma mère qui, par chance, ne s'inquiéta pas.

Cela ne gâchait pas mon bonheur ni notre union. Nous eûmes nos mythes, nos tics de langage, nos plaisanteries rituelles. Pendant près d'une année je terminai mes phrases, au moins une fois sur dix, par ces mots prononcés avec une résignation ironique : « Mais ça ne fait rien. » Je disais : « Voilà un grand chien blanc. Il n'est pas blanc, il est gris mais ça ne fait rien. » Nous prîmes l'habitude de nous raconter les menus incidents de notre vie en style épique à mesure qu'ils se produisaient; nous parlions de nous à la troisième personne du pluriel. Nous attendions l'autobus, il passait devant

nous sans s'arrêter; l'un de nous s'écriait alors :
« Ils frappèrent du pied le sol en maudissant le
ciel » et nous nous mettions à rire. En public nous
avions nos connivences : un clin d'œil suffisait.
Dans un magasin, dans un salon de thé, la vendeuse
nous semblait comique, ma mère me disait en
sortant : « Je ne t'ai pas regardé, j'avais peur de
lui pouffer au nez », et je me sentais fier de mon
pouvoir : il n'y a pas tant d'enfants qui sachent
d'un seul regard faire pouffer leur mère. Timides,
nous avions peur ensemble : un jour, sur les quais,
j'avais découvert douze numéros de Buffalo Bill
que je ne possédais pas encore; elle se disposait
à les payer quand un homme s'approcha, gras et
pâle, avec des yeux charbonneux, des moustaches
cirées, un canotier et cet aspect comestible qu'affec-
taient volontiers les beaux garçons de l'époque. Il
regardait fixement ma mère, mais c'est à moi qu'il
s'adressa : « On te gâte, petit, on te gâte! » répétait-il avec précipitation. D'abord, je ne fis que
m'offenser : on ne me tutoyait pas si vite; mais
je surpris son regard maniaque et nous ne fîmes
plus, Anne-Marie et moi, qu'une seule jeune fille
effarouchée qui bondit en arrière. Déconcerté, le
monsieur s'éloigna : j'ai oublié des milliers de
visages, mais cette face de saindoux, je me la rappelle encore; j'ignorais tout de la chair et je
n'imaginais pas ce que cet homme nous voulait
mais l'évidence du désir est telle qu'il me semblait
comprendre et que, d'une certaine manière, tout
m'était dévoilé. Ce désir, je l'avais ressenti à travers
Anne-Marie; à travers elle, j'appris à flairer le
mâle, à le craindre, à le détester. Cet incident

resserra nos liens : je trottinais d'un air dur, la
main dans la main de ma mère et j'étais sûr de
la protéger. Est-ce le souvenir de ces années?
Aujourd'hui encore, je ne puis voir sans plaisir un
enfant trop sérieux parler gravement, tendrement
à sa mère enfant; j'aime ces douces amitiés sauvages qui naissent loin des hommes et contre eux.
Je regarde longuement ces couples puérils et puis
je me rappelle que je suis un homme et je détourne
la tête.

Le deuxième événement se produisit en octobre
1915 : j'avais dix ans et trois mois, on ne pouvait
songer à me garder plus longtemps sous séquestre.
Charles Schweitzer musela ses rancunes et me fit
inscrire au petit lycée Henri IV en qualité
d'externe.

A la première composition, je fus dernier. Jeune
féodal, je tenais l'enseignement pour un lien per-
sonnel : Mlle Marie-Louise m'avait donné son
savoir par amour, je l'avais reçu par bonté, pour
l'amour d'elle. Je fus déconcerté par ces cours
ex cathedra qui s'adressaient à tous, par la froideur
démocratique de la loi. Soumis à des comparaisons
perpétuelles, mes supériorités rêvées s'évanouirent :
il se trouvait toujours quelqu'un pour répondre
mieux ou plus vite que moi. J'étais trop aimé pour
me remettre en question : j'admirais de bon cœur
mes camarades et je ne les enviais pas : j'aurais
mon tour. A cinquante ans. Bref, je me perdais
sans souffrir; saisi d'un affolement sec, je remettais
avec zèle des copies exécrables. Déjà mon grand-
père fronçait les sourcils; ma mère se hâta de
demander un rendez-vous à M. Ollivier, mon pro-

fesseur principal. Il nous reçut dans son petit
appartement de célibataire; ma mère avait pris sa
voix chantante; debout contre son fauteuil, je
l'écoutais en regardant le soleil à travers la poussière des carreaux. Elle s'efforça de prouver que
je valais mieux que mes devoirs : j'avais appris à
lire tout seul, j'écrivais des romans; à bout d'argu-
ments elle révéla que j'étais né à dix mois : mieux
cuit que les autres, plus doré, plus croustillant
pour être resté plus longtemps au four. Sensible à
ses charmes plus qu'à mes mérites, M. Ollivier
l'écoutait attentivement. C'était un grand homme
décharné, chauve et tout en crâne, avec des yeux
caves, un teint de cire et, sous un long nez busqué,
quelques poils roux. Il refusa de me donner des
leçons particulières, mais promit de me « suivre ».
Je n'en demandais pas plus : je guettais son regard
pendant les cours; il ne parlait que pour moi, j'en
étais sûr; je crus qu'il m'aimait, je l'aimais,
quelques bonnes paroles firent le reste : je devins
sans effort un assez bon élève. Mon grand-père
grommelait en lisant les bulletins trimestriels, mais
il ne songeait plus à me retirer du lycée. En cin-
quième, j'eus d'autres professeurs, je perdis mon
traitement de faveur mais je m'étais habitué à la
démocratie.

Mes travaux scolaires ne me laissaient pas le
temps d'écrire; mes nouvelles fréquentations m'en
ôtèrent jusqu'au désir. Enfin j'avais des camarades!
Moi, l'exclu des jardins publics, on m'avait adopté
du premier jour et le plus naturellement du
monde : je n'en revenais pas. A vrai dire mes amis

semblaient plus proches de moi que des jeunes
Pardaillan qui m'avaient brisé le cœur : c'étaient
des externes, des fils à maman, des élèves appliqués.
N'importe : j'exultais. J'eus deux vies. En famille,
je continuai de singer l'homme. Mais les enfants
entre eux détestent l'enfantillage : ce sont des
hommes pour de vrai. Homme parmi les hommes,
je sortais du lycée tous les jours en compagnie des
trois Malaquin, Jean, René, André, de Paul et de
Norbert Meyre, de Brun, de Max Bercot, de Grégoire, nous courions en criant sur la place du
Panthéon, c'était un moment de bonheur grave :
je me lavais de la comédie familiale; loin de vouloir briller, je riais en écho, je répétais les mots
d'ordre et les bons mots, je me taisais, j'obéissais,
j'imitais les gestes de mes voisins, je n'avais qu'une
passion : m'intégrer. Sec, dur et gai, je me sentais
d'acier, enfin délivré du péché d'exister : nous
jouions à la balle, entre l'Hôtel des Grands
Hommes et la statue de Jean-Jacques Rousseau,
j'étais indispensable : *the right man in the right
place.* Je n'enviais plus rien à M. Simonnot : à qui
Meyre, feintant Grégoire, aurait-il fait sa passe si
je n'avais été, *moi, ici présent, maintenant?* Comme
ils paraissaient fades et funèbres mes rêves de
gloire auprès de ces intuitions fulgurantes qui me
découvraient ma nécessité.

Par malheur elles s'éteignaient plus vite qu'elles
ne s'allumaient. Nos jeux nous « surexcitaient »,
comme disaient nos mères, et transformaient parfois
nos groupes en une petite foule unanime qui
m'engloutissait; mais nous ne pûmes jamais oublier
longtemps nos parents dont l'invisible présence

nous faisait vite retomber dans la solitude en
commun des colonies animales. Sans but, sans fin,
sans hiérarchie, notre société oscillait entre la
fusion totale et la juxtaposition. Ensemble, nous
vivions dans la vérité mais nous ne pouvions pas
nous défendre du sentiment qu'on nous prêtait
les uns aux autres et que nous appartenions chacun
à des collectivités étroites, puissantes et primitives,
qui forgeaient des mythes fascinants, se nourrissaient d'erreur et nous imposaient leur arbitraire.
Choyés et bien-pensants, sensibles, raisonneurs,
effarouchés par le désordre, détestant la violence
et l'injustice, unis et séparés par la conviction tacite
que le monde avait été créé pour notre usage et
que nos parents respectifs étaient les meilleurs du
monde, nous avions à cœur de n'offenser personne
et de demeurer courtois jusque dans nos jeux.
Moqueries et quolibets en étaient sévèrement pros-
crits; celui qui s'emportait, le groupe entier
l'entourait, l'apaisait, l'obligeait à s'excuser, c'était
sa propre mère qui le tançait par la bouche de
Jean Malaquin ou de Norbert Meyre. Toutes ces
dames se connaissaient, d'ailleurs et se traitaient
cruellement : elles se rapportaient nos propos, nos
critiques, les jugements de chacun sur tous; nous
autres, les fils, nous nous cachions les leurs. Ma
mère revint outrée d'une visite à Mme Malaquin
qui lui avait dit tout net : « André trouve que
Poulou fait des embarras. » Cette réflexion ne me
troubla pas : ainsi parlent les mères entre elles;
je n'en voulus point à André et ne lui soufflai mot
de l'affaire. Bref, nous respections le monde entier,
les riches et les pauvres, les soldats et les civils,

les jeunes et les vieux, les hommes et les bêtes :
nous n'avions de mépris que pour les demi-pen-
sionnaires et les internes : il fallait qu'ils fussent
bien coupables pour que leur famille les eût aban-
donnés; peut-être avaient-ils de mauvais parents,
mais cela n'arrangeait rien : les enfants ont les
pères qu'ils méritent. Le soir, après quatre heures,
quand les externes libres l'avaient quitté, le lycée
devenait un coupe-gorge.

Des amitiés si précautionneuses ne vont pas sans
quelque froideur. Aux vacances, nous nous sépa-
rions sans regret. Pourtant, j'aimais Bercot. Fils de
veuve, c'était mon frère. Il était beau, frêle et doux;
je ne me lassais pas de regarder ses longs cheveux
noirs peignés à la Jeanne d'Arc. Mais surtout, nous
avions, l'un et l'autre, l'orgueil d'avoir tout lu et
nous nous isolions dans un coin du préau pour
parler littérature, c'est-à-dire pour recommencer
cent fois, toujours avec plaisir, l'énumération des
ouvrages qui nous étaient passés par les mains. Un
jour, il me regarda d'un air maniaque et me confia
qu'il voulait écrire. Je l'ai retrouvé plus tard en
rhétorique, toujours beau mais tuberculeux : il est
mort à dix-huit ans.

Tous, même le sage Bercot, nous admirions
Bénard, un garçon frileux et rond qui ressemblait
à un poussin. Le bruit de ses mérites était
parvenu jusqu'aux oreilles de nos mères qui s'en
agaçaient un peu mais ne se lassaient pas de nous
le donner en exemple sans parvenir à nous dégoûter
de lui. Qu'on juge de notre partialité : il était
demi-pensionnaire et nous l'en aimions davantage;
à nos yeux, c'était un externe d'honneur. Le soir,

sous la lampe familiale, nous pensions à ce mission-
naire qui restait dans la jungle pour convertir les
cannibales de l'internat et nous avions moins peur.
Il est juste de dire que les internes eux-mêmes le
respectaient. Je ne vois plus très clairement les
raisons de ce consentement unanime. Bénard était
doux, affable, sensible; avec cela, premier partout.
Et puis, sa maman se privait pour lui. Nos mères
ne fréquentaient pas cette couturière mais elles
nous parlaient d'elle souvent pour nous faire
mesurer la grandeur de l'amour maternel; nous ne
pensions qu'à Bénard : il était le flambeau, la joie
de cette malheureuse; nous mesurions la grandeur
de l'amour filial; tout le monde, pour finir, s'atten-
drissait sur ces bons pauvres. Pourtant, cela n'eût
pas suffi : la vérité, c'est que Bénard ne vivait qu'à
demi; je ne l'ai jamais vu sans un gros foulard de
laine; il nous souriait gentiment mais parlait peu
et je me rappelle qu'on lui avait défendu de se
mêler à nos jeux. Pour ma part, je le vénérais
d'autant plus que sa fragilité nous séparait de lui :
on l'avait mis sous verre; il nous faisait des saluts
et des signes derrière la vitre mais nous ne l'appro-
chions pas : nous le chérissions de loin parce qu'il
avait, de son vivant, l'effacement des symboles.
L'enfance est conformiste : nous lui étions recon-
naissants de pousser la perfection jusqu'à l'imper-
sonnalité. S'il causait avec nous, l'insignifiance de
ses propos nous ravissait d'aise; jamais nous ne le
vîmes en colère ou trop gai; en classe, il ne levait
jamais le doigt, mais lorsqu'on l'interrogeait, la
Vérité parlait par sa bouche, sans hésitation et sans
zèle, tout juste comme doit parler la Vérité. Il

frappait d'étonnement notre gang d'enfants pro-
diges parce qu'il était le meilleur sans être prodigieux. En ce temps-là, nous étions tous plus ou
moins orphelins de père : ces Messieurs étaient
morts ou au front, ceux qui restaient, diminués,
dévirilisés, cherchaient à se faire oublier de leurs
fils; c'était le règne des mères : Bénard nous
reflétait les vertus négatives de ce matriarcat.

A la fin de l'hiver, il mourut. Les enfants et les
soldats ne se soucient guère des morts : pourtant
nous fûmes quarante à sangloter derrière son cercueil. Nos mères veillaient : l'abîme fut recouvert
de fleurs; elles firent tant que nous tînmes cette
disparition pour un superprix d'excellence décerné
en cours d'année. Et puis Bénard vivait si peu qu'il
ne mourut pas vraiment : il resta parmi nous,
présence diffuse et sacrée. Notre moralité fit un
bond : nous avions notre cher défunt, nous parlions
de lui à voix basse, avec un plaisir mélancolique.
Peut-être serions-nous, comme lui, prématurément
emportés : nous imaginions les larmes de nos mères
et nous nous sentions précieux. Ai-je rêvé, pourtant? Je garde confusément le souvenir d'une atroce
évidence : cette couturière, cette veuve, elle avait
tout perdu. Ai-je vraiment étouffé d'horreur à cette
pensée? Ai-je entrevu le Mal, l'absence de Dieu,
un monde inhabitable? Je le crois : pourquoi,
sinon, dans mon enfance reniée, oubliée, perdue,
l'image de Bénard aurait-elle gardé sa netteté
douloureuse?

Quelques semaines plus tard, la classe de cin-
quième A I fut le théâtre d'un événement singulier : pendant le cours de latin la porte s'ouvrit,

Bénard entra, escorté du concierge, salua M. Durry,
notre professeur, et s'assit. Nous reconnûmes tous
ses lunettes de fer, son cache-nez, son nez un peu
busqué, son air de poussin frileux : je crus que
Dieu nous le rendait. M. Durry sembla partager
notre stupeur : il s'interrompit, respira fortement
et demanda : « Nom, prénoms, qualité, profession
des parents. » Bénard répondit qu'il était demi-
pensionnaire et fils d'ingénieur, qu'il s'appelait
Paul-Yves Nizan. J'étais le plus frappé de tous; à
la récréation je lui fis des avances, il y répondit :
nous étions liés. Un détail pourtant me fit pressentir
que je n'avais pas affaire à Bénard mais à son
simulacre satanique : Nizan louchait. Il était trop
tard pour en tenir compte : j'avais aimé dans ce
visage l'incarnation du Bien; je finis par l'aimer
pour lui-même. J'étais pris au piège, mon penchant
pour la vertu m'avait conduit à chérir le Diable.
A vrai dire, le pseudo-Bénard n'était pas bien
méchant : il vivait, voilà tout; il avait toutes les
qualités de son sosie, mais flétries. En lui, la réserve
de Bénard tournait à la dissimulation; terrassé par
des émotions violentes et passives, il ne criait pas
mais nous l'avons vu blanchir de colère, bégayer :
ce que nous prenions pour de la douceur n'était
qu'une paralysie momentanée; ce n'était pas la
vérité qui s'exprimait par sa bouche mais une sorte
d'objectivité cynique et légère qui nous mettait
mal à l'aise parce que nous n'en avions pas l'habitude et, quoiqu'il adorât ses parents, bien entendu,
il était le seul à parler d'eux ironiquement. En
classe, il brillait moins que Bénard; par contre,
il avait beaucoup lu et souhaitait écrire. Bref,

c'était une personne complète et rien ne m'étonnait plus que de voir une personne sous les traits de Bénard. Obsédé par cette ressemblance, je ne savais jamais s'il fallait le louer d'offrir l'apparence de la vertu ou le blâmer de n'en avoir que l'apparence et je passais sans cesse de la confiance aveugle à la défiance irraisonnée. Nous ne devînmes de vrais amis que beaucoup plus tard, après une longue séparation.

Pendant deux ans ces événements et ces rencontres suspendirent mes ruminations sans en éliminer la cause. De fait, en profondeur, rien n'avait changé : ce mandat en moi déposé par les adultes sous pli scellé, je n'y pensais plus mais il subsistait. Il s'empara de ma personne. A neuf ans, jusque dans mes pires excès je me surveillais. A dix, je me perdis de vue. Je courais avec Brun, je causais avec Bercot, avec Nizan : pendant ce temps, abandonnée à elle-même, ma fausse mission prit du corps et, finalement, bascula dans ma nuit; je ne la revis plus, elle me fit, elle exerçait sa force d'attraction sur tout, courbant les arbres et les murs, voûtant le ciel au-dessus de ma tête. Je m'étais pris pour un prince, ma folie fut de l'être. Névrose caractérielle, dit un analyste de mes amis. Il a raison : entre l'été 14 et l'automne de 1916 mon mandat est devenu mon caractère; mon délire a quitté ma tête pour se couler dans mes os.

Il ne m'arrivait rien de neuf : je retrouvais intact ce que j'avais joué, prophétisé. Une seule différence : sans connaissance, sans mots, en aveugle je *réalisai* tout. Auparavant, je me représentais ma

vie par des images : c'était ma mort provoquant
ma naissance, c'était ma naissance me jetant vers
ma mort; dès que je renonçai à la voir, je devins
moi-même cette réciprocité, je me tendis à craquer
entre ces deux extrêmes, naissant et mourant à
chaque battement de cœur. Mon éternité future
devint mon avenir concret : elle frappait chaque
instant de frivolité, elle fut au centre de l'attention
la plus profonde, une distraction plus profonde
encore, le vide de toute plénitude, l'irréalité légère
de la réalité; elle tuait, de loin, le goût d'un
caramel dans ma bouche, les chagrins et les plaisirs
dans mon cœur; mais elle sauvait le moment le
plus nul par cette seule raison qu'il venait en
dernier et qu'il me rapprochait d'elle; elle me
donna la patience de vivre : jamais plus je ne
souhaitai sauter vingt années, en feuilleter vingt
autres, jamais plus je n'imaginai les jours lointains
de mon triomphe; j'attendis. A chaque minute
j'attendis la prochaine parce qu'elle tirait à soi
celle qui suivait. Je vécus sereinement dans
l'extrême urgence : toujours en avant de moi-
même, tout m'absorbait, rien ne me retenait. Quel
soulagement! Autrefois mes journées se ressemblaient si fort que je me demandais parfois si je
n'étais pas condamné à subir l'éternel retour de la
même. Elles n'avaient pas beaucoup changé, elles
gardaient la mauvaise habitude de s'affaler en
tremblotant; mais *moi*, j'avais changé en elles : ce
n'était plus le temps qui refluait sur mon enfance
immobile, c'était moi, flèche décochée par ordre,
qui trouais le temps et filais droit au but. En 1948,
à Utrecht, le professeur Van Lennep me montrait

des tests projectifs. Une certaine carte retint mon attention : on y avait figuré un cheval au galop, un homme en marche, un aigle en plein vol, un canot automobile bondissant; le sujet devait désigner la vignette qui lui donnait le plus fort sentiment de vitesse. Je dis : « C'est le canot. » Puis je regardai curieusement le dessin qui s'était si brutalement imposé : le canot semblait décoller du lac, dans un instant il planerait au-dessus de ce marasme onduleux. La raison de mon choix m'apparut tout de suite : à dix ans j'avais eu l'impression que mon étrave fendait le présent et m'en arrachait; depuis lors j'ai couru, je cours encore. La vitesse ne se marque pas tant, à mes yeux, par la distance parcourue en un laps de temps défini que par le pouvoir d'arrachement.

Il y a plus de vingt ans, un soir qu'il traversait la place d'Italie, Giacometti fut renversé par une auto. Blessé, la jambe tordue, dans l'évanouissement lucide où il était tombé il ressentit d'abord une espèce de joie : « Enfin quelque chose m'arrive! » Je connais son radicalisme : il attendait le pire; cette vie qu'il aimait au point de n'en souhaiter aucune autre, elle était bousculée, brisée peut-être par la stupide violence du hasard : « Donc, se disait-il, je n'étais pas fait pour sculpter, par même pour vivre; je n'étais fait pour rien. » Ce qui l'exaltait c'était l'ordre menaçant des causes tout à coup démasqué et de fixer sur les lumières de la ville, sur les hommes, sur son propre corps plaqué dans la boue le regard pétrifiant d'un cataclysme : pour un sculpteur le règne minéral n'est jamais loin. J'admire cette volonté de tout

accueillir. Si l'on aime les surprises il faut les aimer
jusque-là, jusqu'à ces rares fulgurations qui révèlent
aux amateurs que la terre n'est pas faite pour eux.

A dix ans, je prétendais n'aimer qu'elles. Chaque
maillon de ma vie devait être imprévu, sentir la
peinture fraîche. Je consentais d'avance aux contre-
temps, aux mésaventures et, pour être juste, il faut
dire que je leur faisais bon visage. Un soir l'élec-
tricité s'éteignit : une panne; on m'appela d'une
autre pièce, j'avançai les bras écartés et j'allai
donner de la tête contre un battant de porte si fort
que je me cassai une dent. Cela m'amusa, malgré
la douleur, j'en ris. Comme Giacometti devait plus
tard rire de sa jambe mais pour des raisons diamé-
tralement opposées. Puisque j'avais décidé d'avance
que mon histoire aurait un dénouement heureux,
l'imprévu ne pouvait être qu'un leurre, la nou-
veauté qu'une apparence, l'exigence des peuples,
en me faisant naître, avait tout réglé : je vis dans
cette dent cassée un signe, une monition obscure
que je comprendrais plus tard. Autrement dit, je
conservais l'ordre des fins en toute circonstance,
à tout prix; je regardais ma vie à travers mon décès
et ne voyais qu'une mémoire close dont rien ne
pouvait sortir, où rien n'entrait. Imagine-t-on ma
sécurité? Les hasards n'existaient pas : je n'avais
affaire qu'à leurs contrefaçons providentielles. Les
journaux donnaient à croire que des forces éparses
traînaient par les rues, fauchaient les petites gens :
moi, le prédestiné, je n'en rencontrerais pas. Peut-
être perdrais-je un bras, une jambe, les deux yeux.
Mais tout était dans la manière : mes infortunes ne
seraient jamais que des épreuves, que des moyens

de faire un livre. J'appris à supporter les chagrins
et les maladies : j'y vis les prémices de ma mort
triomphale, les degrés qu'elle taillait pour m'élever
jusqu'à elle. Cette sollicitude un peu brutale ne me
déplaisait pas et j'avais à cœur de m'en montrer
digne. Je tenais le pire pour la condition du
meilleur; mes fautes elles-mêmes servaient, ce qui
revenait à dire que je n'en commettais pas. A
dix ans, j'étais sûr de moi : modeste, intolérable,
je voyais dans mes déconfitures les conditions de
ma victoire posthume. Aveugle ou cul-de-jatte,
fourvoyé par mes erreurs, je gagnerais la guerre à
force de perdre les batailles. Je ne faisais pas de
différence entre les épreuves réservées aux élus et
les échecs dont je portais la responsabilité, cela
signifie que mes crimes me paraissaient, au fond,
des infortunes et que je revendiquais mes malheurs
comme des fautes; de fait, je ne pouvais attraper de
maladie, fût-ce la rougeole ou le coryza, sans me
déclarer coupable : j'avais manqué de vigilance,
j'avais oublié de mettre mon manteau, mon foulard. J'ai toujours mieux aimé m'accuser que l'univers; non par bonhomie : pour ne me tenir que de
moi. Cette arrogance n'excluait pas l'humilité : je
me croyais faillible d'autant plus volontiers que
mes défaillances étaient forcément le chemin le
plus court pour aller au Bien. Je m'arrangeais pour
ressentir dans le mouvement de ma vie une irrésistible attraction qui me contraignait sans cesse,
fût-ce en dépit de moi-même, à faire de nouveaux
progrès.

   Tous les enfants savent qu'ils progressent. D'ailleurs on ne leur permet pas de l'ignorer : « Des

progrès à faire, en progrès, progrès sérieux et régu-
liers... » Les grandes personnes nous racontaient
l'Histoire de France : après la première République, cette incertaine, il y avait eu la deuxième
et puis la troisième qui était la bonne : jamais
deux sans trois. L'optimisme bourgeois se résumait
alors dans le programme des radicaux : abondance
croissante des biens, suppression du paupérisme
par la multiplication des lumières et de la petite
propriété. Nous autres, jeunes Messieurs, on l'avait
mis à notre portée et nous découvrions, satisfaits,
que nos progrès individuels reproduisaient ceux
de la Nation. Ils étaient rares, pourtant, ceux qui
voulaient s'élever au-dessus de leurs pères : pour
la plupart, il ne s'agissait que d'atteindre l'âge
d'homme; ensuite ils cesseraient de grandir et de
se développer : c'était le monde, autour d'eux, qui
deviendrait spontanément meilleur et plus confortable. Certains d'entre nous attendaient ce moment
dans l'impatience, d'autres dans la peur et d'autres
dans les regrets. Pour moi, avant d'être voué, je
grandissais dans l'indifférence : la robe prétexte,
je m'en foutais. Mon grand-père me trouvait minuscule et s'en désolait : « Il aura la taille des Sartre »,
disait ma grand-mère pour l'agacer. Il feignait de
ne pas entendre, se plantait devant moi et me
toisait : « Il pousse! » disait-il enfin sans trop de
conviction. Je ne partageais ni ses inquiétudes ni
ses espoirs : les mauvaises herbes poussent, elles
aussi; preuve qu'on peut devenir grand sans cesser
d'être mauvais. Mon problème, alors, c'était d'être
bon *in aeternum*. Tout changea quand ma vie prit
de la vitesse : il ne suffisait plus de bien faire, il

fallait faire *mieux* à toute heure. Je n'eus plus qu'une loi : grimper. Pour nourrir mes prétentions et pour en masquer la démesure je recourus à l'expérience commune : dans les progrès vacillants de mon enfance je voulus voir les premiers effets de mon destin. Ces améliorations vraies mais petites et très ordinaires me donnèrent l'illusion d'éprouver ma force ascensionnelle. Enfant public, j'adoptai en public le mythe de ma classe et de ma génération : on profite de l'acquis, on capitalise l'expérience, le présent s'enrichit de tout le passé. Dans la solitude j'étais loin de m'en satisfaire. Je ne pouvais pas admettre qu'on reçût l'être du dehors, qu'il se conservât par inertie ni que les mouvements de l'âme fussent les effets des mouvements antérieurs. Né d'une attente future je bondissais, lumineux, total et chaque instant répétait la cérémonie de ma naissance : je voulais voir dans les affections de mon cœur un crépitement d'étincelles. Pourquoi donc le passé m'eût-il enrichi? Il ne m'avait pas fait, c'était moi, au contraire, ressuscitant de mes cendres qui arrachais du néant ma mémoire par une création toujours recommencée. Je renaissais meilleur et j'utilisais mieux les inertes réserves de mon âme par la simple raison que la mort, à chaque fois, plus proche, m'éclairait plus vivement de son obscure lumière. On me disait souvent : le passé nous pousse mais j'étais convaincu que l'avenir me tirait; j'aurais détesté sentir en moi des forces douces à l'ouvrage, l'épanouissement lent de mes dispositions. J'avais fourré le progrès continu des bourgeois dans mon âme et j'en faisais un moteur à explosion; j'abaissai le passé devant

le présent et celui-ci devant l'avenir, je transformai
un évolutionnisme tranquille en un catastrophisme
révolutionnaire et discontinu. On m'a fait remarquer, il y a quelques années, que les personnages
de mes pièces et de mes romans prennent leurs
décisions brusquement et par crise, qu'il suffit d'un
instant, par exemple, pour que l'Oreste des
Mouches accomplisse sa conversion. Parbleu : c'est
que je les fais à mon image; non point tels que
je suis, sans doute, mais tels que j'ai voulu être.

Je devins traître et je le suis resté. J'ai beau me
mettre entier dans ce que j'entreprends, me donner
sans réserve au travail, à la colère, à l'amitié, dans
un instant je me renierai, je le sais, je le veux et
je me trahis déjà, en pleine passion, par le pressentiment joyeux de ma trahison future. En gros,
je tiens mes engagements comme un autre; constant
dans mes affections et dans ma conduite je suis
infidèle à mes émotions : des monuments, des
tableaux, des paysages, il fut un temps où le dernier
vu était toujours le plus beau; je mécontentais mes
amis en évoquant dans le cynisme ou simplement
dans la légèreté — pour me convaincre que j'en
étais détaché — un souvenir commun qui pouvait
leur rester précieux. Faute de m'aimer assez, j'ai
fui en avant; résultat : je m'aime encore moins,
cette inexorable progression me disqualifie sans
cesse à mes yeux : hier j'ai mal agi puisque c'était
hier et je pressens aujourd'hui le jugement sévère
que je porterai sur moi demain. Pas de promis-
cuité, surtout : je tiens mon passé à distance res-
pectueuse. L'adolescence, l'âge mûr, l'année même
qui vient de s'écouler, ce sera toujours l'Ancien

Régime : le Nouveau s'annonce dans l'heure présente mais n'est jamais institué : demain, on rasera
gratis. Mes premières années, surtout, je les ai bif-
fées : quand j'ai commencé ce livre, il m'a fallu
beaucoup de temps pour les déchiffrer sous les
ratures. Des amis s'étonnaient, quand j'avais
trente ans : « On dirait que vous n'avez pas eu de
parents. Ni d'enfance. » Et j'avais la sottise d'être
flatté. J'aime et je respecte, pourtant, l'humble et
tenace fidélité que certaines gens — des femmes
surtout — gardent à leurs goûts, à leurs désirs, à
leurs anciennes entreprises, aux fêtes disparues,
j'admire leur volonté de rester les mêmes au milieu
du changement, de sauver leur mémoire, d'emporter dans la mort une première poupée, une dent
de lait, un premier amour. J'en ai connu des
hommes qui ont couché sur le tard avec une
femme vieillie par cette seule raison qu'ils l'avaient
désirée dans leur jeunesse; d'autres gardaient rancune aux morts ou se seraient battus plutôt que
de reconnaître une faute vénielle commise vingt ans
plus tôt. Moi, je ne tiens pas les rancunes et j'avoue
tout, complaisamment : pour l'autocritique, je suis
doué, à la condition qu'on ne prétende pas me
l'imposer. On a fait des misères en 1936, en 1945
au personnage qui portait mon nom : est-ce que
ça me regarde? Je porte à son débit les affronts
essuyés : cet imbécile ne savait même pas se faire
respecter. Un vieil ami me rencontre; exposé
d'amertume : il nourrit un grief depuis dix-sept
ans; en une circonstance définie, je l'ai traité sans
égards. Je me rappelle vaguement que je me défendais, à l'époque, en contre-attaquant, que je lui

reprochais sa susceptibilité, sa manie de la persé-
cution, bref que j'avais ma version personnelle de
cet incident : je n'en mets que plus d'empressement
à adopter la sienne; j'abonde en son sens, je m'accable : je me suis comporté en vaniteux, en égoïste,
je n'ai pas de cœur; c'est un massacre joyeux : je
me délecte de ma lucidité; reconnaître mes fautes
avec tant de bonne grâce, c'est me prouver que
je ne pourrais plus les commettre. Le croirait-on?
Ma loyauté, ma généreuse confession ne font qu'ir-
riter le plaignant. Il m'a déjoué, il sait que je me
sers de lui : c'est à moi qu'il en veut, à moi vivant,
présent, passé, *le même* qu'il a toujours connu et
je lui abandonne une dépouille inerte pour le
plaisir de me sentir *un enfant qui vient de naître.*
Je finis par m'emporter à mon tour contre ce
furieux qui déterre les cadavres. Inversement, si
l'on vient à me rappeler quelque circonstance où,
me dit-on, je n'ai pas fait mauvaise figure, je
balaie de la main ce souvenir; on me croit
modeste et c'est tout le contraire : je pense que
je ferais mieux aujourd'hui et *tellement* mieux
demain. Les écrivains d'âge mûr n'aiment pas
qu'on les félicite avec trop de conviction de leur
première œuvre : mais c'est à moi, j'en suis sûr,
que ces compliments-là font le moins de plaisir.
Mon meilleur livre, c'est celui que je suis en train
d'écrire; tout de suite après vient le dernier publié
mais je me prépare, en douce, à bientôt m'en
dégoûter. Que les critiques le trouvent aujourd'hui
mauvais, ils me blesseront peut-être, mais dans
six mois je ne serai pas loin de partager leur avis.
A une condition pourtant : si pauvre et si nul qu'ils

jugent cet ouvrage, je veux qu'ils le mettent au-dessus de tout ce que j'ai fait avant lui; je consens
que le lot soit déprécié en entier pourvu qu'on
maintienne la hiérarchie chronologique, la seule
qui me conserve la chance de faire mieux demain,
après-demain mieux encore et de finir par un chef-
d'œuvre.

Naturellement je ne suis pas dupe : je vois bien
que nous nous répétons. Mais cette connaissance
plus récemment acquise ronge mes vieilles évidences sans les dissiper entièrement. Ma vie a
quelques témoins sourcilleux qui ne me passent
rien; ils me surprennent souvent à retomber dans
les mêmes ornières. Ils me le disent, je les crois
et puis, au dernier moment, je me félicite : hier
j'étais aveugle; mon progrès d'aujourd'hui c'est
d'avoir compris que je ne progresse plus. Quelquefois, c'est moi-même qui suis mon témoin à charge.
Par exemple je m'avise que, deux ans plus tôt, j'ai
écrit une page qui pourrait me servir. Je la cherche
et ne la trouve pas; tant mieux : j'allais, cédant à
la paresse, glisser une vieillerie dans un ouvrage
neuf : j'écris tellement mieux aujourd'hui, je vais
la refaire. Quand j'ai terminé le travail, un hasard
me fait remettre la main sur la page égarée. Stupeur : à quelques virgules près, j'exprimais la
même idée dans les mêmes termes. J'hésite et puis
je jette au panier ce document périmé, je garde la
version nouvelle : elle a je ne sais quoi de supérieur à l'ancienne. En un mot je m'arrange : désabusé, je me truque pour ressentir encore, malgré
le vieillissement qui me délabre, la jeune ivresse
de l'alpiniste.

A dix ans je ne connaissais pas encore mes
manies, mes redites et le doute ne m'effleurait pas :
trottinant, babillant, fasciné par les spectacles de
la rue, je ne cessais de faire peau neuve et j'entendais mes vieilles peaux retomber les unes sur les
autres. Quand je remontais la rue Soufflot, j'éprouvais à chaque enjambée, dans l'éblouissante disparition des vitrines, le mouvement de ma vie, sa loi
et le beau mandat d'être infidèle à tout. Je m'emme-
nais tout entier avec moi. Ma grand-mère veut réas-
sortir son service de table; je l'accompagne dans
un magasin de porcelaines et de verreries; elle
montre une soupière dont le couvercle est surmonté
d'une pomme rouge, des assiettes à fleurs. Ce n'est
pas tout à fait ce qu'elle veut : sur ses assiettes il
y a, naturellement, des fleurs mais aussi des insectes
bruns qui grimpent le long des tiges. La marchande
s'anime à son tour : elle sait très bien ce que veut
la cliente, elle a possédé l'article mais, depuis
trois ans, on ne le fait plus; ce modèle-ci est plus
récent, plus avantageux, et puis, avec ou sans
insectes, des fleurs, n'est-ce pas, sont toujours des
fleurs, personne n'ira chercher, c'est le cas de le
dire, la petite bête. Ma grand-mère n'est pas de
cet avis, elle insiste : ne pourrait-on pas jeter un
coup d'œil dans la réserve? Ah, dans la réserve, oui,
bien sûr, mais il faudrait du temps et la marchande
est seule : son employé vient de la quitter. On m'a
relégué dans un coin en me recommandant de ne
toucher à rien, on m'oublie, terrorisé par les fragi-
lités qui m'entourent, par des étincellements pous-
siéreux, par le masque de Pascal mort, par un pot
de chambre qui figure la tête du président Fallières.

Or malgré les apparences, je suis un faux personnage secondaire. Ainsi, certains auteurs poussent
des « utilités » sur le devant de la scène et pré-
sentent leur héros fugitivement en profil perdu. Le
lecteur ne s'y trompe pas : il a feuilleté le dernier
chapitre pour voir si le roman finissait bien, il sait
que le jeune homme pâle, contre la cheminée, a
trois cent cinquante pages dans le ventre. Trois cent
cinquante pages d'amour et d'aventures. J'en avais
au moins cinq cents. J'étais le héros d'une longue
histoire qui finissait bien. Cette histoire, j'avais
cessé de me la raconter : à quoi bon? Je me sentais
romanesque, voilà tout. Le temps tirait en arrière
les vieilles dames perplexes, les fleurs de faïence
et toute la boutique, les jupes noires pâlissaient, les
voix devenaient cotonneuses, j'avais pitié de ma
grand-mère, on ne la reverrait certainement pas
dans la deuxième partie. Pour moi, j'étais le commencement, le milieu et la fin ramassés en un tout
petit garçon déjà vieux, déjà mort, *ici*, dans
l'ombre, entre des piles d'assiettes plus hautes que
lui et *dehors*, très loin, au grand soleil funèbre de
la gloire. J'étais le corpuscule au début de sa trajec-
toire et le train d'ondes qui reflue sur lui après
s'être heurté au butoir d'arrivée. Rassemblés, res-
serré, touchant d'une main ma tombe et de l'autre
mon berceau, je me sentais bref et splendide, un
coup de foudre effacé par les ténèbres.

Pourtant l'ennui ne me quittait pas; parfois discret, parfois écœurant, je cédais à la tentation la
plus fatale quand je ne pouvais plus le supporter :
par impatience Orphée perdit Eurydice; par impatience, je me perdis souvent. Egaré par le désœu-

vrement, il m'arrivait de me retourner sur ma folie
quand il aurait fallu l'ignorer, la maintenir en sous-
main et fixer mon attention sur les objets exté-
rieurs; en ces moments-là, je voulais me *réaliser*
sur-le-champ, embrasser d'un seul coup d'œil la
totalité qui me hantait quand je n'y pensais pas.
Catastrophe! Le progrès, l'optimisme, les trahisons
joyeuses et la finalité secrète, tout s'effondrait de
ce que j'avais ajouté moi-même à la prédiction de
Mme Picard. La prédiction demeurait mais que
pouvais-je en faire? A vouloir sauver tous mes instants cet oracle sans contenu s'interdisait d'en distinguer aucun; l'avenir, d'un seul coup desséché,
n'était plus qu'une carcasse, je retrouvais ma difficulté d'être et je m'apercevais qu'elle ne m'avait
jamais quitté.

Souvenir sans date : je suis assis sur un banc, au
Luxembourg : Anne-Marie m'a prié de me reposer
près d'elle parce que j'étais en nage, pour avoir
trop couru. Tel est du moins l'ordre des causes.
Je m'ennuie tant que j'ai l'arrogance de le ren-
verser : j'ai couru parce qu'il *fallait* que je fusse
en nage pour donner à ma mère l'occasion de me
rappeler. Tout aboutit à ce banc, tout devait y
aboutir. Quel en est le rôle? Je l'ignore et je ne
m'en soucie pas d'abord : de toutes les impressions
qui m'effleurent, pas une ne sera perdue; il y a
un but : je le connaîtrai, mes neveux le connaî-
tront. Je balance mes courtes jambes qui ne
touchent pas terre, je vois passer un homme qui
porte un paquet, une bossue : cela servira. Je me
répète dans l'extase : « Il est de toute importance
que je reste assis. » L'ennui redouble; je ne me

retiens plus de risquer un œil en moi : je ne
demande pas de révélations sensationnelles mais je
voudrais deviner le sens de cette minute, sentir son
urgence, jouir un peu de cette obscure prescience
vitale que je prête à Musset, à Hugo. Naturellement je n'aperçois que des brumes. La postulation
abstraite de ma nécessité et l'intuition brute de
mon existence subsistent côte à côte sans se
combattre ni se confondre. Je ne songe plus qu'à
me fuir, qu'à retrouver la sourde vitesse qui m'emportait : en vain; le charme est rompu. J'ai des
fourmis dans les jarrets, je me tortille. Fort à
propos le Ciel me charge d'une mission nouvelle :
il est de toute importance que je me remette à
courir. Je saute sur mes pieds, je file ventre à terre;
au bout de l'allée je me retourne : rien n'a bougé,
rien ne s'est produit. Je me cache ma déception par
des paroles : dans une chambre meublée d'Aurillac,
je l'affirme, aux environs de 1945, cette course aura
d'inappréciables conséquences. Je me déclare
comblé, je m'exalte; pour forcer la main du Saint-
Esprit, je lui fais le coup de la confiance : je jure
dans la frénésie de mériter la chance qu'il m'a
donnée. Tout est à fleur de peau, tout est joué sur
les nerfs et je le sais. Déjà ma mère fond sur moi,
voici le jersey de laine, le cache-nez, le paletot : je
me laisse envelopper, je suis un paquet. Il faut
encore subir la rue Soufflot, les moustaches du
concierge, M. Trigon, les toussotements de l'ascenseur hydraulique. Enfin le petit prétendant cala-
miteux se retrouve dans la bibliothèque, traîne
d'une chaise à l'autre, feuillette des livres et les
rejette; je m'approche de la fenêtre, j'avise une

mouche sous le rideau, je la coince dans un piège
de mousseline et dirige vers elle un index meurtrier. Ce moment-ci est hors programme, extrait du
temps commun, mis à part, incomparable, immobile, rien n'en sortira ce soir ni plus tard : Aurillac
ignorera toujours cette éternité trouble. L'Humanité sommeille; quant à l'illustre écrivain — un
saint, celui-là, qui ne ferait pas de mal à une
mouche —, il est justement de sortie. Seul et sans
avenir dans une minute croupie, un enfant demande
des sensations fortes à l'assassinat; puisqu'on me
refuse un destin d'homme, je serai le destin d'une
mouche. Je ne me presse pas, je lui laisse le loisir
de deviner le géant qui se penche sur elle : j'avance
le doigt, elle éclate, je suis joué! Il ne fallait pas
la tuer, bon Dieu! De toute la création, c'était le
seul être qui me craignait; je ne compte plus pour
personne. Insecticide, je prends la place de la victime et deviens insecte à mon tour. Je suis mouche,
je l'ai toujours été. Cette fois j'ai touché le fond.
Il ne me reste plus qu'à prendre sur la table *Les
Aventures du Capitaine Corcoran*, qu'à me laisser
tomber sur le tapis, ouvrant au hasard le livre
cent fois relu; je suis si las, si triste que je ne sens
plus mes nerfs et que, dès la première ligne, je
m'oublie. Corcoran fait des battues dans la bibliothèque déserte, sa carabine sous le bras, sa tigresse
sur les talons; les fourrés de la jungle se disposent
hâtivement autour d'eux; au loin j'ai planté des
arbres, les singes sautent de branche en branche.
Tout à coup Louison, la tigresse, se met à gronder,
Corcoran s'immobilise : voilà l'ennemi. C'est ce
moment palpitant que ma gloire choisit pour

réintégrer son domicile, l'Humanité pour se réveil-
ler en sursaut et m'appeler à son secours, le
Saint-Esprit pour me chuchoter ces mots boulever-
sants : « Tu ne me chercherais pas si tu ne m'avais
trouvé. » Ces flatteries seront perdues : il n'y a personne ici pour les entendre sauf le valeureux Corcoran. Comme s'il n'eût attendu que cette décla-
ration, l'Illustre Ecrivain fait sa rentrée; un arrière-
neveu penche sa tête blonde sur l'histoire de ma
vie, les pleurs lui mouillent les yeux, l'avenir se
lève, un amour infini m'enveloppe, des lumières
tournent dans mon cœur; je ne bouge pas, je ne
donne pas un regard à la fête. Je poursuis bien
sagement ma lecture, les lumières finissent par
s'éteindre, je ne sens plus rien sauf un rythme, une
impulsion irrésistible, je démarre, j'ai démarré,
j'avance, le moteur ronfle. J'éprouve la vitesse de
mon âme.

Voilà mon commencement : je fuyais, des forces
extérieures ont modelé ma fuite et m'ont fait. A
travers une conception périmée de la culture, la
religion transparaissait, qui servit de maquette :
enfantine, rien n'est plus proche d'un enfant. On
m'enseignait l'Histoire Sainte, l'Evangile, le caté-
chisme sans me donner les moyens de croire : le
résultat fut un désordre qui devint mon ordre par-
ticulier. Il y eut des plissements, un déplacement
considérable; prélevé sur le catholicisme, le sacré
se déposa dans les Belles-Lettres et l'homme de
plume apparut, *ersatz* du chrétien que je ne pou-

vais être : sa seule affaire était le salut, son séjour
ici-bas n'avait d'autre but que de lui faire mériter
la béatitude posthume par des épreuves dignement
supportées. Le trépas se réduisit à un rite de passage et l'immortalité terrestre s'offrit comme sub-
stitut de la vie éternelle. Pour m'assurer que
l'espèce humaine me perpétuerait on convint dans
ma tête qu'elle ne finirait pas. M'éteindre en elle,
c'était naître et devenir infini mais si l'on émettait
devant moi l'hypothèse qu'un cataclysme pût un
jour détruire la planète, fût-ce dans cinquante
mille ans, je m'épouvantais; aujourd'hui encore,
désenchanté, je ne peux penser sans crainte au
refroidissement du soleil : que mes congénères
m'oublient au lendemain de mon enterrement, peu
m'importe; tant qu'ils vivront je les hanterai,
insaisissable, innommé, présent en chacun comme
sont en moi les milliards de trépassés que j'ignore
et que je préserve de l'anéantissement; mais que
l'humanité vienne à disparaître, elle tuera ses morts
pour de bon.

Le mythe était fort simple et je le digérai sans
peine. Protestant et catholique, ma double appar-
tenance confessionnelle me retenait de croire aux
Saints, à la Vierge et finalement à Dieu tant qu'on
les appelait par leur nom. Mais une énorme puissance collective m'avait pénétré; établie dans mon
cœur, elle guettait, c'était la Foi des autres; il
suffit de débaptiser et de modifier en surface son
objet ordinaire : elle le reconnut sous les déguisements qui me trompaient, se jeta sur lui, l'enserra
dans ses griffes. Je pensais me donner à la Littérature quand, en vérité, j'entrais dans les ordres. En

moi la certitude du croyant le plus humble devint
l'orgueilleuse évidence de ma prédestination. Prédestiné, pourquoi pas? Tout chrétien n'est-il pas
un élu? Je poussais, herbe folle, sur le terreau
de la catholicité, mes racines en pompaient les sucs
et j'en faisais ma sève. De là vint cet aveuglement
lucide dont j'ai souffert trente années. Un matin,
en 1917, à La Rochelle, j'attendais des camarades
qui devaient m'accompagner au lycée; ils tardaient,
bientôt je ne sus plus qu'inventer pour me distraire
et je décidai de penser au Tout-Puissant. A l'instant il dégringola dans l'azur et disparut sans donner d'explication : il n'existe pas, me dis-je avec
un étonnement de politesse et je crus l'affaire
réglée. D'une certaine manière elle l'était puisque
jamais, depuis, je n'ai eu la moindre tentation de
le ressusciter. Mais l'Autre restait, l'Invisible, le
Saint-Esprit, celui qui garantissait mon mandat et
régentait ma vie par de grandes forces anonymes et
sacrées. De celui-là, j'eus d'autant plus de peine à
me délivrer qu'il s'était installé à l'arrière de ma
tête dans les notions trafiquées dont j'usais pour me
comprendre, me situer et me justifier. Ecrire, ce fut
longtemps demander à la Mort, à la Religion sous un
masque d'arracher ma vie au hasard. Je fus d'Eglise.
Militant, je voulus me sauver par les œuvres; mystique, je tentai de dévoiler le silence de l'être par
un bruissement contrarié de mots et, surtout, je
confondis les choses avec leurs noms : c'est croire.
J'avais la berlue. Tant qu'elle dura, je me tins pour
tiré d'affaire. Je réussis à trente ans ce beau coup :
d'écrire dans *La Nausée* — bien sincèrement, on
peut me croire — l'existence injustifiée, saumâtre

de mes congénères et mettre la mienne hors de cause. J'*étais* Roquentin, je montrais en lui, sans complaisance, la trame de ma vie; en même temps j'étais *moi*, l'élu, annaliste des enfers, photomicroscope de verre et d'acier penché sur mes propres sirops protoplasmiques. Plus tard j'exposai gaîment que l'homme est impossible; impossible moi-même je ne différais des autres que par le seul mandat de manifester cette impossibilité qui, du coup, se transfigurait, devenait ma possibilité la plus intime, l'objet de ma mission, le tremplin de ma gloire. J'étais prisonnier de ces évidences mais je ne les voyais pas : je voyais le monde à travers elle. Truqué jusqu'à l'os et mystifié, j'écrivais joyeusement sur notre malheureuse condition. Dogmatique je doutais de tout sauf d'être l'élu du doute; je rétablissais d'une main ce que je détruisais de l'autre et je tenais l'inquiétude pour la garantie de ma sécurité; j'étais heureux.

J'ai changé. Je raconterai plus tard quels acides ont rongé les transparences déformantes qui m'enveloppaient, quand et comment j'ai fait l'apprentissage de la violence, découvert ma laideur — qui fut pendant longtemps mon principe négatif, la chaux vive où l'enfant merveilleux s'est dissous — par quelle raison je fus amené à penser systématiquement contre moi-même au point de mesurer l'évidence d'une idée au déplaisir qu'elle me causait. L'illusion rétrospective est en miettes; martyre, salut, immortalité, tout se délabre, l'édifice tombe en ruine, j'ai pincé le Saint-Esprit dans les caves et je l'en ai expulsé; l'athéisme est une entreprise cruelle et de longue haleine : je crois l'avoir menée jusqu'au bout. Je vois clair, je suis désabusé, je connais mes vraies tâches, je mérite sûrement un prix de civisme; depuis à peu près dix ans je suis un homme qui s'éveille, guéri d'une longue, amère et douce folie et qui n'en revient pas et qui ne peut se rappeler sans rire ses anciens erre-ments et qui ne sait plus que faire de sa vie. Je suis redevenu le voyageur sans billet que j'étais à sept ans : le contrôleur est entré dans mon compar-timent, il me regarde, moins sévère qu'autrefois : en fait il ne demande qu'à s'en aller, qu'à me laisser finir le voyage en paix; que je lui donne une excuse valable, n'importe laquelle, il s'en contentera. Malheureusement je n'en trouve aucune et, d'ailleurs, je n'ai même pas l'envie d'en chercher : nous resterons en tête à tête, dans le malaise, jusqu'à Dijon où je sais fort bien que personne ne m'attend.

J'ai désinvesti mais je n'ai pas défroqué : j'écris toujours. Que faire d'autre?

Nulla dies sine linea.

C'est mon habitude et puis c'est mon métier. Long-temps j'ai pris ma plume pour une épée : à présent je connais notre impuissance. N'importe : je fais, je ferai des livres; il en faut; cela sert tout de même. La culture ne sauve rien ni personne, elle ne justifie pas. Mais c'est un produit de l'homme : il s'y projette, s'y reconnaît; seul, ce miroir critique lui offre son image. Du reste, ce vieux bâtiment ruineux, mon imposture, c'est aussi mon carac-tère : on se défait d'une névrose, on ne se guérit pas de soi. Usés, effacés, humiliés, rencoignés, passés sous silence, tous les traits de l'enfant sont restés

chez le quinquagénaire. La plupart du temps ils
s'aplatissent dans l'ombre, ils guettent : au premier
instant d'inattention, ils relèvent la tête et pénètrent
dans le plein jour sous un déguisement : je prétends
sincèrement n'écrire que pour mon temps mais je
m'agace de ma notoriété présente : ce n'est pas la
gloire puisque je vis et cela suffit pourtant à
démentir mes vieux rêves, serait-ce que je les
nourris encore secrètement? Pas tout à fait : je les
ai, je crois, adaptés : puisque j'ai perdu mes chances
de mourir inconnu, je me flatte quelquefois de vivre
méconnu. Grisélidis pas morte. Pardaillan m'habite
encore. Et Strogoff. Je ne relève que d'eux qui ne
relèvent que de Dieu et je ne crois pas en Dieu.
Allez vous y reconnaître. Pour ma part, je ne m'y
reconnais pas et je me demande parfois si je ne joue
pas à qui perd gagne et ne m'applique à piétiner
mes espoirs d'autrefois pour que tout me soit rendu
au centuple. En ce cas je serais Philoctète : magnifique et puant, cet infirme a donné jusqu'à son arc
sans condition : mais, souterrainement, on peut
être sûr qu'il attend sa récompense.

Laissons cela. Mamie dirait :

« Glissez, mortels, n'appuyez pas. »

Ce que j'aime en ma folie, c'est qu'elle m'a
protégé, du premier jour, contre les séductions
de « l'élite » : jamais je ne me suis cru l'heureux
propriétaire d'un « talent » : ma seule affaire
était de me sauver — rien dans les mains, rien
dans les poches — par le travail et la foi. Du
coup ma pure option ne m'élevait au-dessus de
personne : sans équipement, sans outillage je me
suis mis tout entier à l'œuvre pour me sauver tout

entier. Si je range l'impossible Salut au magasin des accessoires, que reste-t-il? Tout un homme, fait de tous les hommes et qui les vaut tous et que vaut n'importe qui.

ŒUVRES DE JEAN-PAUL SARTRE

nrf

ACHEVÉ D'IMPRIMER
LE 14 JANVIER 1965
PAR FIRMIN-DIDOT ET Cie
LE MESNIL-SUR-L'ESTRÉE
(EURE)

Imprimé en France
Nº d'édition : 10788
Dépôt légal : 1er trimestre 1964. — 3834